D0527289

LA POLITIQUE AU FÉMININ

La politique au féminin

Mise en page: Joseph Stinziani

Typographie: Comptexte

ISBN: 2-89066-084-2

Dépôt légal: 4e trimestre 1983

Bibliothèque Nationale du Canada
Bibliothèque Nationale du Québec

Novembre 1983

LA POLITIQUE AU FÉMININ

entrevues recueuillies par
Marie-Jeanne Robin

Lise Bacon
Carmen Cloutier-Juneau
Joan Dougherty
Louise Harel
Huguette Lachapelle
Thérèse Lavoie-Roux
Denise Leblanc-Bantey
Pauline Marois

MERCI À VOUS
Lise Bacon
Carmen Cloutier-Juneau
Joan Dougherty
Louise Harel
Huguette Lachapelle
Thérèse Lavoie-Roux
Denise Leblanc-Bantey
Pauline Marois

Merci pour le temps que vous m'avez consacré, la confiance que vous m'avez témoignée, la simplicité avec laquelle vous avez réfléchi en ma présence, la pensée que vous avez bien voulu me confier.

Merci à celles qui vous entourent: femmes qui répondez au téléphone, qui prenez les rendez-vous, qui accueillez.

Merci à Sylvie Paquette pour la dactylographie parfois fastidieuse.

Merci de toute cette disponibilité qu'aujourd'hui je qualifie de féminine. À une exception près cependant: merci à Réal Paquette, correcteur et lecteur critique des premiers manuscrits.

Marie-Jeanne Robin

Quand est né le projet de ce livre, deux hypothèses se sont immédiatement imposées à mon esprit:

- les femmes n'ont pas facilement accès à la politique active;
- le travail que les femmes réalisent en politique n'est pas le même que celui des hommes.

Ces deux hypothèses se sont avérées justes mais combien incomplètes. Je ne pouvais imaginer la volonté du changement, la capacité de lutte, le goût de convaincre, la générosité dont savent faire preuve les femmes.

Bien entendu, chacune d'elles a sa

propre expérience. Mais dès la deuxième entrevue, j'avais l'impression d'entendre les mêmes mots, les mêmes grandes lignes de pensée. Elles ont finalement le même langage.

C'est ainsi que le plan des entrevues, tout comme les hypothèses, est devenu insuffisant! Dès la première question, que je formulais à peu près ainsi: "Quand êtes-vous entrée en politique?", chacune prenait son histoire là où elle lui semblait significative: milieu familial, études, militantisme. . . J'ai alors décidé de ne garder que le fil conducteur d'une conversation un peu orientée: l'entrée en politique, l'élection, le pouvoir, l'aménagement de sa vie personnelle.

Ce recueil d'entrevues n'a d'autre objectif que d'être le témoin, dans l'histoire du Québec, de la voix de huit femmes qui, avec plus de cent hommes du gouvernement provincial, représentent six millions de Québécoises et de Québécois.

Elles savent les découragements ou les échecs de celles — rares — qui les ont précédées. Elles en ont tiré des leçons. Qu'elles y consacrent leur vie ou qu'elles n'y soient que de passage, comme dit l'une d'elles: elles sont funambules, en équilibre sur le fil instable du pouvoir. À la merci d'une erreur, d'une critique, d'un faux pas, en plein sous les projecteurs.

Fascinante et attachante, aucune ne m'a laissée indifférente. Pendant nos entretiens, j'ai eu l'impression de partager leurs réflexions, leurs cheminements. Nous n'avons abordé que très peu de dossiers d'actualité. Avec discernement, elles ne s'en servaient que pour fin de démonstration. Je voulais la trame de leur démarche, elles me l'ont confiée sans gêne, sans fausse modestie. Quand les femmes prennent la parole, elles aiment savoir ce qu'elles disent.

Leur allégeance politique, la mienne, n'avaient aucune importance. Avant d'être libérales ou péquistes, nous sommes femmes, et nous avions largement de quoi parler!

Sans regrets, sans amertume, elles disent toutes qu'elles ne font pas une carrière. Elles refusent la lutte et les règles du jeu des hommes. Elles essaient de les transformer. Parfois, elles y laissent certaines illusions. Parfois, elles avouent qu'elles ont réalisé de grandes choses. Mais ce n'est que le début du chemin.

Ce livre n'est pas le mien, c'est le leur: témoignages, paroles qui se rejoignent, certitude que l'avenir appartient également aux hommes et aux femmes.

J'ai seulement essayé d'être fidèle à leurs paroles.

M.-J. R.

Lise Bacon
députée de Chomedey

"À qui une candidature féminine fait-elle le plus peur?
— Bien plus à l'organisation électorale qu'à la population."

Lise Bacon est née à Valleyfield, le 25 août 1934. Elle fait ses études à Trois-Rivières puis à Chicoutimi.

Lise Bacon travaille pour la Prudentielle d'Amérique jusqu'en 1971, alors qu'elle devient membre du Secrétariat permanent du Parti libéral du Québec dans lequel elle avait déjà milité et occupé de nombreuses fonctions. Élue députée de Bourassa en 1973, elle est nommée ministre d'État aux Affaires sociales puis ministre des Consommateurs, Coopératives et Institutions financières et enfin ministre de l'Immigration.

Après une défaite en 1976 dans le

comté de Bourassa, Lise Bacon est nommée juge à la cour de la citoyenneté canadienne. En 1979, elle retourne à l'entreprise privée comme vice-présidente régionale de l'Association canadienne des Compagnies d'assurance de personnes Inc..

En avril 1981, elle est élue députée du Parti libéral dans le comté de Chomedey.

Une tempête de neige, les inévitables retards, un autre rendez-vous qui rétrécit l'heure disponible et, le magnétophone qui est gelé lui aussi. . . Lise Bacon sourit: malgré son agenda chargé, on convient d'une autre rencontre.

Cette fois, il fait beau, elle a réservé du temps, nous nous retrouvons avec plaisir, le contact est déjà fait. Dès la première question, le voyage commence: les années cinquante, Duplessis, un gouvernement trop puissant, . . . et on remonte les années jusqu'à maintenant. Lise Bacon toujours présente et forte, Lise Bacon la fidèle, la passionnée de politique.

Lise Bacon

"Quand avez-vous commencé à vous intéresser à la politique?

— J'étais étudiante. Et dans ce milieu, il y avait une certaine "conscientisation" face aux événements sociaux. C'étaient les années cinquante avec, à Québec, un gouvernement très autoritaire. Quand on ne l'acceptait pas, il fallait s'engager contre. Et dans mon milieu familial on réagissait déjà. D'autant plus que j'habitais à Trois-Rivières, le comté même de Duplessis. Notre première tâche était d'inciter les gens à aller voter. Ils avaient une certaine crainte: "Même si on vote, "il" sera toujours élu; un gouvernement qui est là depuis si longtemps. . ." Ils avaient l'impression que leur vote ne changerait pas grand-chose.

— Est-ce qu'il y avait de la pression, par intimidation par exemple?

— Oui, ça allait jusque là. Au niveau des emplois, c'était très dur. Ceux qui étaient contre le gouvernement subissaient des menaces à cause de leur engagement dans un autre parti. Et moi, cela m'a amenée à faire cet effort d'implication, au niveau local. Car il y avait aussi le niveau régional qui comprenait toute la Mauricie. Par la suite, mon travail m'a conduite à Chicoutimi. Les femmes du Saguenay-Lac-St-Jean n'étaient pas tellement présentes dans le Parti libéral. J'ai donc commencé par travailler avec elles surtout. Et nous avons démarré un mouvement important. Dans un milieu éloigné, les femmes s'informent bien. Elles se sentaient beaucoup plus loin qu'elles ne le sont aujourd'hui, les informations les atteignaient moins vite. Elles avaient besoin de se regrouper. Donc il fallait démarrer, se donner des moyens. Et les femmes ont bien répondu, de quelque milieu que ce soit.

Quand je suis revenue à Trois-Rivières, j'ai continué de travailler avec les femmes. Il y avait une fédération séparée du Parti où elles travaillaient un peu en vase clos. Mais il fallait le faire: aujourd'hui c'est facile de juger mais je crois qu'il y a des femmes qui se sentent à l'aise à travailler entre femmes. D'autres sont plus sécurisées et n'ont pas ce problème de travailler dans ce que j'appelle la "mixité" au niveau du Parti. À l'époque, il y avait trois entités: la fédération des femmes, la fédération des jeunes et le Parti comme tel qui, en congrès annuel regroupait tout le monde. Chaque fédération avait quand même ses congrès, ses réunions, ses assemblées, ses conférences. Je pense que ces séparations étaient justifiées par le contexte dans lequel nous étions. Mais, lorsque je suis arrivée à la présidence des femmes libérales en 1967, j'ai essayé de mettre davantage de pression pour que les femmes n'aient pas peur de s'impliquer dans le Parti. En effet, tout ce cheminement-là nous menait normalement à des possibilités de candidature.

Et pour être acceptée comme candidate, il ne fallait pas avoir peur de travailler avec les hommes: il n'y a pas que les femmes qui élisent une femme!

— *Comment avez-vous franchi ce pas, établi ce lien avec le Parti?*

— Puisqu'il y avait peu de femmes qui acceptaient des postes, nous n'étions pas menaçantes. Je me disais: c'est une façon, dans ce long cheminement, de prendre notre place. Il fallait l'accepter comme cela, à ce moment-là. Par la suite, j'ai exercé une pression auprès de la fédération des femmes, jusqu'à mon accession à la présidence du Parti en 1970. D'ailleurs, mes premiers gestes ont été de dire aux jeunes et aux femmes: cessons d'avoir peur de la "mixité", impliquons-nous ensemble dans le Parti. Et c'est là que nous avons changé le nom de Fédération libérale du Québec pour Parti libéral du Québec qui regroupait les trois entités.

— *Quelles étaient les relations entre ces entités?*

— C'était bien quand même, parce qu'on s'assurait qu'au niveau des délégations il y avait des femmes et des jeunes, même minoritaires. Et c'est ce que je disais: si nous continuons à évoluer séparément, comment être sur un pied d'égalité? Ce qui me choquait un peu, c'est que cette organisation de femmes servait beaucoup à préparer des tribunes pour les hommes qui étaient déjà en politique active, en poste aux niveaux fédéral et provincial. Je ne voulais pas que les femmes et les jeunes servent à ces hommes pour faire leur nom, d'où la fusion. Il y eut certains postes protégés, je n'aimais pas cela mais les années de présence dans le Parti comptaient. . . Et nous avons fait une concession à savoir qu'il existe une commission féminine et une commission jeunesse au sein du Parti, parce que certains dossiers le justifiaient.

— *Alors, pour vous, politique et lutte des femmes, cela a toujours été lié?*

— Oui. On ne peut pas séparer cela. Il faut avoir la patience du cheminement et la possibilité d'être présente. C'est pour cela que moi, j'ai accepté cette démarche, en étant aux postes qui étaient accessibles. Quand on est absent, on ne peut rien régler. Par contre, par notre présence, on rend les gens plus conscients, plus réalistes face à leurs responsabilités. Il y a eu de la résistance à cette fusion, d'où la création des commissions. Mais les tâches les plus difficiles arrivaient: faire élire des femmes dans des comtés.

Lise Bacon

— *Quand avez-vous été élue pour la première fois députée?*

— En 1973. J'aurais aimé être candidate en 1970. J'avais fait des plans et. . .

— *. . . vous y aviez mis la perspective d'être députée?*

— Oui. Je voyais cela vers l'âge de trente-cinq ans, un âge où on a beaucoup à apporter. Je ne voyais pas une carrière de vingt ou vingt-cinq ans comme députée, mais d'une dizaine d'années, entre trente-cinq et quarante-cinq ans, avec une expérience de vie raisonnable et la possibilité de donner encore les meilleures années. C'était ma façon de voir les choses. En 1970, j'avais trente-cinq ans. Je me sentais prête à assumer ce rôle-là. Trois-Rivières était un comté très conservateur où il n'y avait pas eu de député libéral depuis quarante-cinq ans. L'organisation du Parti a fait faire des sondages. Il en est sorti qu'une femme ne pouvait pas se faire élire dans Trois-Rivières ou, du moins, que ce serait plus difficile. On a toujours peur quand c'est une femme. Quel que soit le candidat masculin, on ne se pose pas la question dans un parti. Avec le recul, je pense que j'aurais peut-être dû lutter davantage pour être candidate à Trois-Rivières. Je ne l'ai pas fait parce que j'ai trouvé vraiment odieux qu'on amène mon frère comme candidat.

— Était-il aussi présent que vous?

— Non. Il avait quitté Trois-Rivières depuis deux ans. Le nom était à Trois-Rivières, nous étions une famille connue. Je crois que les gens ont pensé que je n'avais pas envie de me présenter et que, de manière normale, j'avais pensé à mon frère. C'était cela, le contexte de 70.

— *A-t-il été élu?*

— Il a été élu. J'aurais été élue, je le prétends encore, car j'aurais travaillé aussi fort.

— *À qui une candidature féminine fait-elle le plus peur?*

— Beaucoup plus à l'organisation électorale qu'à la population. Il est beaucoup plus difficile d'être acceptée à une "convention" par les membres de son propre parti que d'être acceptée dans la population. Quel que soit le parti, j'ai connu des candidats qui ont été élus plus facilement députés qu'ils n'avaient été élus candidats. C'est une question d'organisation électorale qui ne veut jamais prendre de risques. En 1970, une femme candidate, c'était un risque. Il n'y avait eu que Claire Kirkland-Casgrain, comme députée. . . C'est alors en septembre 1970, après l'élection, que je me suis présentée à la présidence du Parti. Ne serait-ce que pour leur montrer que je pouvais faire des choses. Il fallait prouver encore. Il faut toujours prouver quand on est une femme. A ce moment-là, davantage. Et j'ai assumé à plein temps ce poste de présidente à partir de mai 1971, à Montréal. J'ai laissé mon emploi, bénéficiant d'un congé sans solde. Je m'étais donné comme priori de garder beaucoup de force au Parti, ce qui n'est pas évident quand le Parti est au pouvoir. Je pouvais convoquer d'urgence le conseil général qui regroupait l'ensemble des comtés et nous donnions au gouvernement le pouls de la population. Je me rappelle notamment les grèves de 1972, les menaces de démission de certains ministres. . .

— Et, en octobre 1973, comment s'est passée votre mise en candidature?

Lise Bacon

— On ne m'a pas donné un comté facile. Mais j'avais appris encore. Il faut tirer des leçons des déceptions qu'on peut vivre. Il m'a fallu me faire accepter par les militants du comté de Bourassa: je n'étais pas du comté, je ne l'habitais pas. Et on donnait à des gens qui n'avaient pas milité dans le Parti, des gens importants qui ont apporté beaucoup au gouvernement après. . . on leur a donné des comtés très faciles. Quant à moi, il a fallu me battre. Et encore une fois, une femme candidate, c'est un risque à prendre. Mais le jour de l'élection, dans ce comté que je ne connaissais pas, j'ai rassemblé plus de six cents personnes qui ont travaillé pour moi. . . J'avais aussi des amis un peu partout dans Montréal qui avaient dit: "Ça n'a pas de sens, il faut aller l'aider." Ils sont venus me donner un coup de main. Ils savaient ce que j'avais parcouru comme chemin. Et dans le comté, je n'ai rien négligé. On a gagné et, début novembre, j'étais nommée ministre d'État aux

Affaires sociales. Chaque année, je faisais du porte à porte dans mon comté et, la première fois, on m'a demandé s'il y avait une élection car les gens n'étaient pas habitués à ces visites.

— *Vous vouliez rester en contact avec votre comté?*

— Oui. Je voulais pouvoir dire au Conseil des Ministres: voici l'avis de la population sur tel projet de loi ou sur tel livre blanc. Cela se réflète dans les décisions par la suite. Il y a ce vécu dont les femmes se servent, beaucoup plus que les hommes, qu'elles connaissent davantage.

— *Et les femmes savent se donner les moyens d'aller chercher cette somme d'expériences.*

— Le moyen est le contact personnel. Et

les femmes sont plus conscientes de cela. Les hommes sont plus rationnels, peut-être, mais se fient plus à la rhétorique, à leurs dossiers. . .

— *Est-ce que cette approche de votre rôle de ministre a été très différente de celle de vos collègues?*

— Oui. Peut-être que cela a enlevé aussi mon agressivité dans la façon de défendre mes dossiers. J'étais la seule femme, je voulais argumenter différemment de mes collègues. De plus, ils avaient l'expérience. . . depuis 1970. Moi, j'avais l'argumentation de la partie militante, dans les régions, au niveau provincial. Je me servais de cela. Et j'étais, je crois, très réaliste par rapport à eux, déjà pris par l'aspect technique de leurs dossiers, à Québec — ce que je n'avais pas toujours. Mais moi, je savais les attentes de la population. Car il est très facile de perdre contact avec la réalité. Les technocrates évoluent en vase clos, il le faut. Mais le vécu est nécessaire aussi. On ne fait pas des lois pour se faire plaisir. On les fait pour changer ce qui existe et qui amène une certaine injustice. Les lois doivent rendre davantage justice à l'ensemble. Sur papier, les lois peuvent être très belles. Leur application est souvent inhumaine. Il faut que le gouvernement prépare davantage les changements avec la population. L'un ne peut pas travailler sans l'autre. Dans les années 80, il faudra que les travailleurs, les dirigeants d'entreprises, le gouvernement travaillent ensemble pour effectuer les changements qu'on doit faire dans la crise que nous vivons. Nous sommes devenus très individualistes et je préconise la co-responsabilité. Au Québec, on a déjà pensé très "collectivement" pour revenir à ne penser qu'à soi, à sa vie quotidienne. Il faut tenir à la démocratie. Le danger est que l'État devienne trop puissant, d'autant plus que les besoins d'une société varient beaucoup d'une année à l'autre et qu'on ne peut diriger sans concertation.

— Est-ce que l'entrée — en douceur, il faut bien le dire — des femmes dans ces lieux de pouvoir d'État peut aider, selon vous, la mise en place de ce modèle de co-responsabilité?

— Oui, mais il faudra être nombreuses. Alors seulement on pourra tenir compte de nous; ce sera normal d'avoir des femmes candidates et ensuite députées ou ministres au lieu de quelques cas isolés. Et je ne suis pas vieux jeu quand je dis cela, j'essaie d'être réaliste. D'ailleurs, cela n'appartient pas à la politique, le problème existe n'importe où: entreprise privée ou secteur public. Il faut donc être là, être présentes.

— Si on parlait de votre "retour" en poli-

tique: vous avez été élue en 1973, vous avez eu la responsabilité de plusieurs ministères, vous avez travaillé pendant trois ans au pouvoir. En 1976, avec le raz-de-marée du Parti québécois, vous ne vous retrouvez même pas dans l'opposition: RIEN! Est-ce que la femme a subi le coup de la défaite? Ou est-ce que vous vous êtes seulement dit que vous aviez été rejetée par la vague?

— La différence avec certains collègues est que moi, je me suis interrogée personnellement sur le travail que j'avais fait, la performance, ni plus ni moins, de mes trois dernières années: est-ce que j'avais une part personnelle de responsabilité dans cette défaite? Et quand j'en ai parlé à mes collègues, je me suis aperçue que peu d'entre eux avaient eu cette réaction. Ils disaient: c'est l'usure du pouvoir, après six ans. . . Mais moi, je me suis questionnée sur mon travail, j'ai fait le point. Je n'ai pas incriminé ma défaite au fait que j'étais une femme! Je m'inquiétais plutôt des projets de loi que j'avais déposés, qui étaient en marche et que la population connaissait. Évidemment, les événements m'ont convaincue que ce n'était pas de ma faute. . . Il n'est pas mauvais quand même de faire cette analyse. Alors je me suis dit qu'après trois ans, c'était terminé. Il faut penser à soi. Il y a d'autres possibilités. J'ai été nommée Juge de la citoyenneté. J'avais remarqué qu'il y avait beaucoup de femmes dans ces postes. . . peut-être parce qu'ils demandent beaucoup de compréhension sur le plan humain: on rencontre des gens qui ont tout quitté, des réfugiés politiques. . . Cela m'a été profitable, j'en ai gardé un bon souvenir. Ayant été ministre de l'Immigration, et ayant, dans mon comté de Bourassa, trente à trente-huit pour cent de la population d'origine italienne, j'avais été en contact avec ces gens qui s'établissent, changent de pays. Ces deux années ont été un arrêt dans mes activités politiques.

Comme juge je n'avais pas le droit de faire de l'action politique. Je voulais donc vivre sans la politique qui avait toujours fait partie de ma vie.

— *Et comment êtes-vous revenue de cette retraite?*

— En 1979, je suis retournée dans l'entreprise que je connaissais le mieux: l'industrie de l'assurance. J'ai été la première femme à faire partie du bureau de direction de l'Association canadienne des compagnies d'assurances de personnes. En 1981, une semaine après le déclenchement de la campagne électorale, on m'a appelée pour m'offrir le comté de Chomedey. Un an avant, Claude Ryan m'avait proposé de revenir dans le comté de Bourassa où se tenait une élection partielle. J'avais pris une semaine pour y penser et j'avais répondu que je ne retournerais pas en politique! On m'a proposé par la suite la possibilité de me présenter dans l'un ou l'autre comté lors d'élections générales. J'avais refusé à chaque fois. Peut-être que l'ambiance de l'élection générale a fini par me convaincre. Mais c'était surtout le besoin d'agir. Je suis peut-être intolérante, mais je n'accepte pas les gens qui critiquent et ne s'engagent jamais pour tenter d'effectuer les changements qu'ils exigent. Alors, en 1981, j'aurais agi contre mes principes en demeurant dans la galerie qui regarde. J'ai donc tout laissé pour recommencer. Chomedey était un comté où je pouvais gagner. On misait sur moi, enfin j'étais une valeur sûre! Après tant d'années.

— Mais vous êtes alors dans l'opposition. Est-ce que c'est différent d'être une femme dans l'opposition?

— Oui, c'est différent que d'être une femme au gouvernement, à cause des nominations, des responsabilités. Dans l'opposition, on est tous sur le même pied, on n'est pas nombreux, il faut travailler très fort sur les dossiers. . . Nous sommes trois femmes actuellement, pour moi c'est beaucoup, j'étais habituée à être la seule! Et il y a les cinq péquistes. Donc nous sommes huit. Pour moi, il y a cette solidarité féminine qui existe toujours. Par exemple, je n'aurais jamais consenti à aller m'exprimer, au cours d'une campagne électorale, dans un comté où la candidate adverse était une femme. J'ai toujours refusé de le faire. Quand on sera au moins la moitié de femmes élues, on sera tous sur un pied d'égalité. Mais je ne veux pas nuire à mes collègues femmes. Je n'ai pas accepté que les autres le fassent dans mon comté.

— Donc vous donnez la priorité à la lutte des femmes, avant la lutte d'un parti.

— Oh! oui. C'est important. Toutes les femmes ne le font pas. . . Mais moi je me préoccupais toujours de cela; au Conseil des Ministres par exemple, je demandais s'il y avait des femmes dans les nominations. . .

— Est-ce que les ministères qu'on donne aux femmes sont toujours les mêmes? Ou bien, est-ce qu'il y a des ministères qu'on ne confierait pas à une femme, selon vous?

— Je serais surprise qu'on nomme une femme ministre des Finances. On a l'impression que c'est réservé aux hommes. Cela était clair dans les années 70. J'ai assisté aux réunions des journées internationales des femmes: sur trente-trois femmes ministres, la grande majorité était ministres des Affaires culturelles, des Affaires sociales. . . On retrouvait peu de femmes en poste dans des ministères à vocation économique. J'ai été la première à avoir le ministère des Institutions financières. . . Et je n'étais ni avocate, ni économiste. Par contre j'ai été ministre des Affaires sociales et j'ai dû faire face aux technocrates de ce ministère, là encore ce n'était pas facile. Pourtant, il y a beaucoup de femmes dans ces domaines, mais elles travaillent à la base, elles n'ont pas nécessairement les poste clés.

En fait, tous les ministères peuvent être assumés par les femmes. Car nous pouvons tout faire, dans tous les domaines.

— *Cela va arriver?*

— Oui. Je ne suis pas pessimiste. Mais j'ai la patience d'accepter le cheminement. Tout le monde ne l'a pas. De moins en moins de jeunes femmes l'ont: parce qu'elles ont connu d'autres façons de vivre que nous. Elles acceptent moins les problèmes auxquels elles ont à faire face et qui les empêchent d'aller jusqu'au bout. Je l'ai dit très souvent: il faut aller jusqu'au bout de ce qu'on s'est tracé comme plan de travail, comme plan de carrière, comme plan de vie. On va faire les sacrifices nécessaires, car il y en a, et on va avoir l'ambition, la ténacité.

— *Est-ce qu'il y a un prix à payer pour un tel chemin?*

— J'ai eu à faire des choix qui n'ont pas été faciles dans ma vie personnelle. Et c'est ce qui coûte le plus cher. J'ai pris les décisions de ne pas me marier, de ne pas avoir d'enfants. . . Au moment où j'ai pensé à l'adoption — ce qui est possible pour les célibataires — il y a eu d'autres décisions à prendre que j'ai privilégiées. Je ne crois pas que les hommes ressentent ce déchirement, cette culpabilité qui envahissent les femmes. Nous ne pouvons pas attendre d'avoir cinquante ou soixante ans pour faire une carrière politique! Et c'est pourtant ce qu'on a à travers le monde: ou bien les femmes sont très jeunes et doivent faire des sacrifices que peu sont prêtes à accepter, et je les comprends, ou bien elles vont en politique plus tard, après avoir connu une vie de femme pleine et entière. Sinon, il y a un prix énorme à payer: impossibilité de vie familiale surtout. La politique, c'est sept jours sur sept.

Mais, à cause des satisfactions que j'ai retirées de ma carrière politique, il est inexact de parler de prix à payer. Il y a des choix à faire. Et ils doivent se faire avec beaucoup de lucidité, de ténacité, il n'y a aucune amertume. Qu'on soit en politique ou non, il y a toujours des décisions à prendre et des choix à assumer. En ce qui me concerne, je n'ai pas idéalisé la vie politique. Et elle ne me déçoit pas.

— Vous êtes au milieu de votre vie profes-

sionnelle, comment voyez-vous votre avenir?

— J'aurai toujours envie de m'impliquer. Je n'aurai jamais terminé. Il faut garder la capacité d'émerveillement. . .

— *On garde cela en politique?*

— Oui! Je m'émerveille à visiter des P.M.E.! Je m'émerveille devant la capacité des gens, la technique, l'organisation. Quand on a perdu cela, on perd la moitié de sa vie. Pourquoi tant travailler si on ne peut plus s'étonner des personnes qu'on rencontre? Les plus jeunes ont envie d'une existence bien calme, mais dans laquelle ils peuvent s'assumer. . . Ils savent nos luttes et les reprendront s'ils en éprouvent le besoin. Il y aura des acquis, mais encore des batailles à gagner. Ce sera peut-être plus facile, mais c'est l'action permanente. . .

Carmen Cloutier-Juneau

députée de Johnson

"Si les jeunes ne s'impliquent pas,
ils auront à subir des choses
qu'ils n'auront pas voulues.
S'ils savaient combien on a besoin d'eux,
de leur dynamisme,
de leurs idées nouvelles."

Carmen Cloutier-Juneau est née dans le comté de Richmond, à St-Grégoire de Greenlay, au milieu de l'été 1934. Après avoir étudié à l'école Notre-Dame de Windsor, elle travaille comme infirmière-auxiliaire à l'hôpital St-Vincent-de-Paul de Sherbrooke.

La carrière de Carmen Juneau, mère de six enfants, tient en son implication dans le milieu: vice-présidente de l'organisation des fêtes du Centenaire de la ville de Windsor en 1975, présidente des fêtes du 25e anniversaire de la paroisse St-Gabriel-de-Windsor en 1977, conférencière pendant dix ans à la compagnie Weight

Watchers, membre de l'exécutif des Filles d'Isabelle, de l'A.F.E.A.S. .

Artiste peintre, elle a exposé ses tableaux au Festival de Sherbrooke, seule ou en groupe, en 1973, 74, 76 et 77.

Membre du Parti québécois depuis 1972, elle est battue à l'élection partielle de novembre 1980 dans la circonscription de Johnson. Elle se représente et gagne le 13 avril 1981.

Carmen Juneau. Je ne savais que son nom. Mais quand je parlais à ses collègues députés ou aux gens qui la connaissent à Québec, on me disait: "Carmen! Tu vas l'aimer, elle est ex-tra-or-di-nai-re".

Je l'ai donc rencontrée dans son bureau, à Québec. Son sourire était clair et un peu hésitant, comme le soleil qui entrait ce jour-là par les grandes fenêtres du Parlement: "Vous savez, je n'ai pas grand-chose à dire. Je suis une bonne femme sans histoire, vous allez avoir de la difficulté à sortir un chapitre sur une bonne femme comme moi. . ." Madame Juneau, vous offenseriez ceux qui vous ont élue à trop de modestie! Et vous êtes si fière de votre travail. Mais. . . à vous la parole:

"J'arrivais de mon petit village. Je connaissais les ministres principaux et quelques députés. Je les voyais à la télévision. Et je me disais: ce sont des êtres spéciaux, des gens à part qui ont de grandes décisions à prendre. Je me sentais toute petite. Tout m'impressionnait, y compris les couloirs du Parlement. Mais quelques collègues ont deviné la crainte cachée et immense que je ressentais. Ils m'ont aidée. Marcel Léger, par exemple, a été un de ceux qui m'ont facilité l'approche des grands personnages que sont le Premier ministre et les ministres. J'avais besoin d'être sécurisée. Il y a eu aussi

Huguette Lachapelle qui, par son expérience, pouvait me guider dans cet apprentissage. Elle me disait: "Voyons Carmen, ne t'en fais pas, ce sont des gens comme nous." Huguette est très généreuse et je la considère comme une grande amie.

Et je pensais que j'avais beau être élue, jamais je n'arriverais à faire ce travail-là. J'y crois tellement. Ma perception à moi est qu'il y a deux sortes de députés: ceux qui sont là pour la gloire, pour les honneurs personnels qu'ils peuvent acquérir, et les autres, les plus nombreux, ceux qui ont pour objectif de rendre service. Dans la fonction que j'occupe, il y a tellement de gens qui ont besoin de moi, d'une intervention. Je me situe exactement là: prête à rendre service, ayant en mains les ficelles qui me donnent la possibilité d'aider les autres. Je donne ce que j'ai reçu. J'ai toujours été très choyée. Je suis née dans une famille où il y avait beaucoup d'amour, où "l'autre" était important. J'ai grandi comme cela. Et aujourd'hui, je me sens bien à l'intérieur de ce que je fais. Je crois être utile aux autres.

— *C'est une sorte de dévouement que vous exprimez: peut-on être utile aux autres? On se le demande parfois, non?*

— Je suis certaine que des gens pensent que rien ne sert à rien. Pourtant, il y a de la place et du travail à faire pour les gens de bonne foi: quand, en politique, on essaiera de me faire faire des choses que je n'accepte pas, je retournerai à mes livres de recettes.

— *Quand avez-vous commencé à faire de la politique?*

— J'ai commencé au niveau municipal. Mais j'étais impliquée dans divers organismes. J'ai fait du bénévolat toute ma vie. C'est depuis peu que je suis rémunérée pour ce que je fais. Pendant vingt ans, j'ai travaillé à la paroisse, à la ville, dans des associations. Je suis une organisatrice. J'aime ça me lancer dans une bataille, relever des défis. Je suis vraiment un leader, j'adore cela. Je crois que tout ce bénévolat m'a amenée à la politique. Dans mon milieu, à un moment donné, les gens ne voyaient que moi: "Elle nous a rendu service", "Elle était là dans telles circonstances. . ." Quand est venu le temps de la politique provinciale, les gens ont dit: "Carmen!", comme une évidence.

— Ce que vous faisiez était déjà de la politique?

— Bien sûr. Ce n'était pas étiqueté comme tel. . . J'ai de la facilité à travailler avec les gens. Je peux diriger sans m'imposer, je sais donner la chance à chacun de s'exprimer, de faire valoir son talent personnel. . . Que vous dire d'autre, je suis sans histoire, vous savez.

— Parlez-moi du plaisir que vous avez d'être là. Vous avez dit un mot: générosité. . .

— Je fais un travail que j'aime énormément. Je souhaite être identifiée aux gens de mon comté: des gens de la base dont je suis. Et ils sont fiers de cela, moi aussi. Nous représentons à cent vingt-deux personnes plus de six millions de Québécois. Si une bonne femme aussi humble et aussi simple que moi est rendue ici, cela prouve que n'importe quelle femme qui veut faire quelque chose d'exceptionnel peut y arriver. Je continue de croire que c'est exceptionnel d'être ici, avec le peu de préparation politique que je possède. Bien sûr, j'ai travaillé à la base du Parti mais il ne s'agit pas de science politique.

Carmen Cloutier-Juneau

Je n'ai rien appris dans les livres. J'ai appris dans la vie. Avec du courage — parce que cela en prend — il faut croire en ce que l'on fait et en l'importance de son rôle. Quand j'ai été élue, j'avais une hantise: est-ce que je vais être à la hauteur de ce que les gens attendent de moi? Je me sentais si peu prête et en même temps très riche d'expériences. Et j'ai appris en m'impliquant encore plus. Je suis là, je suis la personne sur laquelle on peut compter.

— Pendant la campagne électorale, qu'avez-vous fait pour gagner cette confiance?

— Je dois vous parler des deux campagnes. Deux campagnes électorales en moins d'un an. La première qui s'est terminée avec mon échec aux élections partielles du 17 novembre 1980, et la seconde, victorieuse, aux élections du 13 avril 1981. Par la première, déjà mon image était "passée" dans mon comté et même à travers le Québec puisque nous n'étions que quatre ou cinq comtés en élections. J'étais reconnue comme une mère de famille et comme une femme qui avait travaillé pour les autres. Il y a surtout dans ma circonscription des travailleurs d'usine et des producteurs agricoles — mon comté est au trois-quarts agricole — et comme ailleurs, des professionnels. Pour l'élection partielle, j'ai donc fait une partie du travail: quand est arrivée la deuxième campagne, tout le monde m'avait vue quelque part! Avec la faible marge victorieuse de monsieur Picard, je n'avais pas perdu la guerre mais simplement une bataille.

— Vous saviez que vos chances étaient plus grandes la deuxième fois?

— Je le souhaitais vivement. Il m'a fallu quelques jours pour prendre ma décision, parce que je me disais: je me suis fait battre une fois et recommencer. . . J'ai pris deux semaines de repos. Et, dès le début de décembre 1980, je me suis remise au travail. J'allais voir des gens à qui je disais: on a passé proche, c'est ensemble qu'on aura la victoire la deuxième fois. Finalement, j'avais confiance. On ne se bat jamais pour perdre. Je discutais beaucoup: on peut y arriver. . . La foi que j'avais en cette victoire à aller chercher a dû transpirer car il n'y avait rien pour m'arrêter. Et nous avons gagné!

— Avez-vous eu des difficultés à vous faire accepter comme candidate femme?

— Il y a trente-six municipalités dans mon comté. Un jour, je pars faire du porte à porte dans l'une d'elles, toute petite. Le maire m'interdit son village: "Ne viens pas chez nous, une femme n'a pas d'affaire en politique, elle doit être à la maison, à faire la vaisselle et avoir soin des enfants." J'étais très fâchée: "Monsieur le Maire, quand les enfants ont grandi, quand je pèse sur le bouton du lave-vaisselle, ne croyez-vous pas que je peux faire autre chose?" — "Non, les femmes, ça ne va pas en politique, ça doit rester dans la cuisine et s'occuper de la famille." On en est resté là. Je n'ai pas fait de porte à porte. Une semaine après, je passais en voiture et j'ai vu sa femme dehors, sur le tracteur. Mon maire en question est producteur agricole. J'ai simplement demandé à Monsieur le Maire si c'était bien elle: "Oui", m'a-t-il dit. — "Comme ça, les femmes ne sont pas seulement dans les cuisines?" — "Ma femme, c'est mon meilleur homme!" a-t-il répondu. J'avais ma réponse: sa femme était sa principale collaboratrice, il pouvait se fier sur elle tout le temps. Alors moi, je devais aussi gagner la confiance des hommes comme lui. . . Et plus tard, ce monsieur m'a avoué qu'il n'aurait jamais pensé que je puisse faire un travail aussi excellent.

— *Le compliment venait tard, et de loin. Mais cela montre que les gens peuvent changer d'avis au fur et à mesure qu'une femme fait ses preuves. Faut-il qu'une femme fasse la preuve de sa compétence d'une manière plus évidente qu'un homme?*

— Nous en sommes encore là. Ici, à Québec, si on ne s'affirme pas, on ne passe pas. Ce n'est pas facile.

— *Est-ce que la solidarité joue entre les députées, malgré les partis?*

— Oui, heureusement. Quant aux hommes, eux, ils font bloc. Il faut donc se débattre, avoir le courage de ses actes. Sans cela on ne passe pas. Ils ne font pas de faveur parce qu'on est une femme. Ici, on est député, c'est tout. On ne doit pas s'attendre à être traitée différemment des hommes.

— Ils n'auraient pas plutôt tendance à traiter différemment les femmes députées. . . mais de façon négative?

— Au début, j'avais senti quelque chose comme cela. Disons que c'était avec des députés auxquels je parlais très peu. . . Ce qui est merveilleux c'est que, depuis l'élection, nous avons formé un petit groupe, huit à peu près. Il y a beaucoup d'amitié entre nous, on va souper ensemble, on se détend. Et c'est important. Depuis deux ans, cette entente est au beau fixe. . . Mais il y aurait de la place pour d'autres femmes, car nous pensons des choses que les hommes ne pensent peut-être pas de la même façon que nous. Il est tellement nouveau que les femmes s'impliquent. Pourtant, même si elles disaient "ce n'est pas notre place", elles étaient là.

— *Maintenant que vous êtes à Québec depuis deux ans, est-ce que votre opinion sur la politique a changé?*

— Je ne saurais pas dire ce qu'est la politique dans les livres. Mais je peux vous dire que les expériences que j'ai vécues me servent beaucoup. Dans la vie, cela ne se passe pas comme dans les livres. Je sais par exemple que la politique est quelque chose de cruel. Un employé du Parlement, ici, m'a raconté que, bien entendu, il y avait toujours quelqu'un pour ouvrir les portes à monsieur Lesage quand il était Premier ministre. Mais le jour où il a été battu, il a quitté son bureau, seul, avec son paquet de livres sous le bras. . . Aujourd'hui on est là, mais demain? Dès qu'on entre en politique, on doit commencer à penser: comment va-t-on en sortir? Comment va-t-on être capable de "prendre'' cela, au-dedans de soi? On vit une vie exaltante et publique pendant plusieurs années puis on redevient anonyme. Il est important de se protéger et de se préparer une sortie la plus noble possible.

— *Qu'est-ce que le pouvoir que vous détenez?*

— D'abord je ne réalisais pas que je possédais autant de pouvoir. Mais cela ne m'a jamais monté à la tête! Je l'utilise à ce que la vie des autres soit meilleure, plus agréable. J'essaie, du moins.

— *Ce ne sont pas des mots? Vous avez réellement cette préoccupation, même avec l'habitude?*

— Tout le monde me connaît comme cela. Chez nous, je n'ai pas été élevée à me prendre pour une autre. Ce qui est important est à l'intérieur de soi, ce qu'on peut donner aux autres. Le reste. . . J'ai lu quelque part que, lorsque tu donnes à quelqu'un, cela t'est remis au centuple. J'y crois fortement. J'ai été élevée comme ça.

— *Vous exercez donc un pouvoir que vous ne niez pas. Est-ce que, parfois, vous doutez des décisions que vous avez à prendre? Est-ce que vous hésitez?*

— Non. Quand c'est le temps, on prend la décision et les risques qui vont avec. Il faut avoir le courage de ses actes, trancher sans écraser personne. Malgré cela, il y a toujours du monde qui en souffrira, qui aura mal. . . Je vous ai dit que je me voyais comme la personne capable de rattacher les ficelles. Je suis aussi comme une boîte aux lettres. Ce que je fais, je ne veux pas le minimiser. J'essaie de le faire intelligemment, avec bonté.

Carmen Cloutier-Juneau

— Vous avez élevé six enfants, vous avez beaucoup milité. Comment parveniez-vous à concilier toutes ces tâches?

— J'étais à la maison tous les jours. Je m'occupais de l'éducation de mes enfants. C'est le choix de toute femme de faire ce qu'elle veut: j'avais choisi de demeurer à la maison avec mes enfants. Je voulais les éduquer, bien sûr, mais je voulais qu'ils reçoivent le plus d'amour possible à l'intérieur du foyer, qu'ils se sentent sécurisés, qu'ils partent dans la vie sur le bon pied. Je ne regrette pas du tout.

Quand j'ai commencé ma campagne électorale, ils ont tous travaillé: le plus jeune passait des dépliants, ma fille faisait de la dactylo, un autre allait poser des affiches. . . Et ils disaient: "Maman s'en va en politique", et ils étaient très fiers. À la victoire, c'était extraordinaire. Je les sentais autour de moi. Et aujourd'hui, quand je redescends à la maison, en fin de semaine, on est nombreux: les enfants, leurs femmes, un frère prêtre qui vient souvent. Comme je n'ai plus mes parents, on retrouve la famille chez nous.

— *Est-ce que vos enfants étaient surpris de vous voir partir pour votre première campagne électorale?*

— Non, ils étaient habitués à me voir m'impliquer à tous les niveaux. Ils étaient aussi conscients que c'était pour moi une nécessité et que le temps était venu de partir.

— *Est-ce que vous vous ennuyez d'eux?*

— Oui, et eux aussi. C'est le temps qui manque le plus. Si j'ai cinq dimanches libres dans l'année. . . Mais ils sont grands, le plus jeune a dix-sept ans et tout le monde s'entend sur l'importance de mon travail.

— *Vous savez que les jeunes se désintéressent de la politique. Qu'en pensez-vous?*

— Il faut que les jeunes s'impliquent. S'ils savaient combien on a besoin d'eux, de leur dynamisme, de leurs idées nouvelles, de leur implication. Vous savez, je suis la seule femme d'un comté agricole. Dans ce domaine, nous travaillons beaucoup en concertation avec le milieu afin de faire des lois ou des modifications qui vont dans le sens de leurs besoins. C'est la même chose pour les jeunes: s'ils s'impliquent à l'intérieur d'associations, ils nous disent ce qu'ils désirent, ils nous guident. S'ils ne s'impliquent pas, ils auront à subir des choses qu'ils n'auront pas voulues."

Joan Dougherty

députée de Jacques-Cartier

"Je dis ce que je pense.
Je lutte pour les choses
que je trouve importantes.
Je crois qu'on est apprécié
quand on garde son intégrité.
Je n'essaie pas d'être populaire. . ."

Joan Dougherty est née à Montréal le 2 mars 1927. Elle a fait des études scientifiques à l'Université McGill où elle a obtenu en 1950 une maîtrise en Histologie. Elle a également étudié au Massachussetts Institute of Technology en Biophysique. Et c'est pour étudier le français qu'elle se retrouve à l'Université de Montréal en 1975.

Présidente du Bureau des écoles protestantes du Montréal métropolitain de 1977 à 1981, elle a également été membre du Conseil d'administration de l'Université McGill, ainsi que membre de nombreuses autres associations. De 1970 à

Joan Dougherty

1974, Joan Dougherty a été directrice générale du Conseil d'administration de l'Association québécoise pour les enfants ayant des troubles d'apprentissage.

Joan Dougherty a été élue députée de la circonscription de Jacques-Cartier en 1981.

Joan Dougherty a commencé à faire de la politique en s'occupant de l'éducation de ses enfants. Depuis le travail de membre d'un comité d'école à celui de commissaire, il n'y a qu'un pas: celui de l'engagement total! Et Joan Dougherty a appris qu'il fallait lutter pour améliorer le sort de chacun dans notre société. Elle a suivi cet enseignement à la lettre. La politique est en continuité avec le cheminement de sa vie. Si un jour la politique "l'abandonne", elle trouvera un autre endroit, d'autres moyens afin de continuer à s'engager avec et pour ses semblables.

Joan Dougherty

Et elle se défend bien de tracer un portrait idéal d'elle-même. Pourtant, quand elle sourit, heureuse d'avoir trouvé en français l'expression exacte, on se surprend à penser qu'il y a des politiciennes et des politiciens d'expérience qui ont l'expression naïve et spontanée propre aux jeunes militants. . .

C'est donc avec ce sourire sur une vie sûrement très remplie que Joan Dougherty répond à ma première question:

"Quand avez-vous commencé à faire de la politique?

— Votre question en appellerait une autre: qu'est-ce que c'est la politique? J'ai toujours été intéressée à améliorer ma communauté. Quand mes enfants étaient jeunes, j'ai été impliquée dans toutes sortes de projets. Je crois que mon engagement a commencé quand mes enfants

— j'en ai cinq — étaient adolescents. Je faisais partie de comités d'écoles, j'ai été commissaire au niveau local à Ville Mont-Royal. Et nous avons mis sur pied plusieurs projets pour améliorer la vie de nos jeunes. Par exemple, dans les années soixante, nous avons voulu rapprocher les enfants francophones et anglophones de notre communauté. Nous avons organisé un camp d'été français-anglais. En effet, nous étions trop conscients, à cette époque, des deux solitudes dont on parle. La nécessité d'être bilingue, la nécessité pour mes enfants d'abord d'améliorer les contacts avec les amis qu'ils avaient déjà dans le milieu francophone, est devenue primordiale pour moi. Ici au Québec, nous avons des écoles catholiques, des écoles protestantes, des écoles anglaises, des écoles françaises. . . et nos enfants vivent dans un monde trop divisé. Nous avons essayé de leur donner des moyens d'élargir leurs horizons surtout au sujet de la langue. Il y avait d'autres projets. C'était l'époque de la drogue, des cheveux longs . . . et, comme beaucoup de parents, nous nous sommes préoccupés des problèmes qui créaient ces comportements chez les jeunes.

Je crois que je voulais m'occuper d'abord des problèmes et de la vie de mes enfants. Mais peu à peu mes intérêts se sont élargis pour englober ce qui concernait la jeunesse en général. J'étais très engagée aussi auprès des enfants ayant des difficultés d'apprentissage. Nous avons bâti ici, à Ville Mont-Royal, un projet dans le but de démontrer aux écoles ce qu'on pouvait faire pour des enfants, habituellement intelligents, qui avaient des difficultés à lire par exemple. À cette époque, un spécialiste du Montreal Children's Hospital avait découvert que toutes sortes de problèmes neurologiques se manifestaient par des difficultés d'apprentissage surtout chez les enfants ayant une intelligence moyenne ou bonne. À partir de cela, je suis devenue directrice à Montréal d'une association regroupant les parents et les professionnels qui s'occupait de ces enfants. Il y a maintenant de ces associations partout en Amérique du Nord. Des groupes qui travaillaient à cette époque sur le problème aux États-Unis et à Toronto se sont maintenant organisés.

Peu à peu, une chose entraînant l'autre, j'ai été élue membre de la Commission scolaire protestante du Grand Montréal en 1973 et j'en suis devenue présidente en 1977. On discutait à ce moment-là de la Loi 101. En éducation, j'étais vraiment concernée par les décisions gouvernementales et par la centralisation graduelle du pouvoir au sein du gouvernement. Les années soixante et les années soixante-dix ont été orageuses à cause de luttes entre les enseignants et les commissions scolaires, les enseignants et l'État. J'étais convaincue que la centralisation ne pouvait résoudre les problèmes dans l'éducation. La Loi 101, par exemple, qui éliminait le choix des parents pour la langue d'éducation était quelque chose de vraiment choquant pour moi. Le but de l'éducation est d'élargir les horizons des enfants, de leur donner des possibilités, pas de les restreindre. Et j'ai vu la Loi 101 comme une restriction inacceptable en éducation. Je comprends les raisons du gouvernement mais je crois que les moyens qui ont été adoptés sont inacceptables. Je suis d'accord qu'on augmente les chances pour les francophones, on doit renforcer le français comme langue de travail. . . mais en éducation, je ne suis pas du tout d'accord. On en voit peut-être déjà le résultat: un jour, les jeunes anglophones seront bilingues et les jeunes francophones ne le seront pas. Le bilinguisme, malgré la position du gouvernement, est essentiel, à mon sens, surtout en Amérique du Nord. Cela facilite le travail, la mobilité, deux choses que beaucoup de parents souhaitent pour leurs enfants.

Donc, je me suis trouvée en opposition aux politiques du gouvernement et, quand l'occasion est arrivée, en 1981, je me suis présentée comme députée. C'était la première fois en politique provinciale, mais c'était un peu la même chose.

— *Comment cela?*

— Ce qui lie tout ce que j'ai fait dans ma vie, c'est que j'ai toujours essayé avec mes enfants, avec les enfants en difficulté d'apprentissage, avec ceux de la Commission scolaire, d'élargir la possibilité de choisir. C'est ma philosophie de vie: il faut donner aux gens le plus grand choix possible, la plus grande marge de manoeuvre. Et je vois au Québec un gouvernement de plus en plus puissant qui a restreint les possibilités des individus de faire leur choix. Peu à peu, on a réglementé excessivement la vie des gens. Et cela va à l'opposé des luttes que j'ai menées durant ma vie. C'est pourquoi je suis en politique.

— *Et le Parti libéral pour lequel vous vous êtes présentée dans votre circonscription représentait une base de lutte pour vos idées?*

— Oui. J'étais membre du Parti mais je n'étais pas active. J'ai vu une ouverture et j'y suis allée. J'admirais beaucoup monsieur Ryan. J'ai adhéré à ses idées fondamentales. Je crois qu'il a un vrai respect de l'individu dans notre société. Pour moi, la société commence avec l'individu, pas avec le gouvernement. Ce dernier est là pour servir, pas pour régler ni imposer sa vision. La vision d'une société doit être créée par l'individu.

— *Il est difficile pour un gouvernement de respecter tous les désirs individuels de ceux qu'il gouverne, non?*

— Pas du tout. Pas selon moi. C'est à l'individu de déterminer son propre sort. Pour moi le rôle de l'État est d'offrir à chaque citoyen une bonne éducation, de lui donner les moyens d'avoir une bonne santé. Enfin, son rôle est d'assurer un climat politique stable avec la plus grande marge de manoeuvre possible pour que chacun aille vers ses propres objectifs et prenne ses propres responsabilités. C'est une philosophie très conservatrice, je le sais, mais je crois que le pouvoir qui existe en chaque individu est le pouvoir qui existe dans notre société.

— Les députés sont des élus. Ils ont donc reçu en quelque sorte la responsabilité de choisir pour les gens qui les ont élus.

— Pour ma part, je ne remplacerai jamais les citoyens. Je ne me substituerai jamais à ceux qui m'ont élue. L'État a un rôle important: créer un climat. C'est le même rôle vis-à-vis du secteur privé qui est le moteur de notre société parce qu'il crée la richesse, il rend possible les services universels de santé, d'éducation. Sans ce moteur en bonne santé, on ne pourra pas donner les services. Nous en sommes à cette étape. Maintenant on en arrive à une situation où on ne peut pas payer les frais de service.

— Si je comprends bien, l'activité politique est un engagement qui ne remplace pas l'action individuelle?

— C'est un engagement, une lutte pour améliorer l'ensemble des conditions de la société. La politique, pour moi, c'est une philosophie de la société. Chaque fois qu'un citoyen s'engage et prend position pour améliorer quelque chose ou contre une mesure, il fait de la politique. . . quel que soit le milieu. Prendre une responsabilité envers la société est un acte politique. Chaque citoyen qui vit dans une démocratie doit prendre des responsabilités. C'est aussi simple que cela. J'aimerais croire que tout le monde possède cette conscience sociale. Malheureusement, tous ne s'engagent pas. Pour moi, c'est un devoir, c'est tout. Mon devoir de citoyen. J'ai appris cela quand j'étais jeune: il faut s'engager et ne pas s'engager c'est ne pas faire son devoir de citoyen. Évidemment, il n'est pas nécessaire d'être à l'Assemblée nationale, il y a d'autres niveaux.

— Est-ce que votre réflexion est le résultat d'une seule démarche de mère s'impliquant avec conscience dans son rôle d'éducatrice?

— Non, il y a eu une autre expérience qui m'a appris beaucoup: j'ai étudié en sciences, j'ai été chercheuse en Biophysique à

McGill et aux États-Unis. Aussi, quand mes enfants étaient jeunes, j'en avais quatre à peu près du même âge, je voulais quelque chose hors de la maison. Je suis devenue membre de la Junior League of Montreal. C'est une association de jeunes femmes qui s'occupent de certains problèmes. Même si ma motivation n'était pas très sérieuse, au début, j'ai appris beaucoup. Par exemple, nous avons fondé une clinique pour les jeunes sourds, puis organisé un système de dépistage des bébés sourds. . . Et, dans cette expérience, j'ai pris conscience du pouvoir des femmes, d'abord, mais aussi du pouvoir du bénévolat dans notre société: on reconnaît un besoin et on fait en sorte de répondre à ce besoin. J'ai reçu beaucoup de satisfaction personnelle également, parce que l'on pouvait vraiment aider à répondre à un besoin réel. Et cet effort est devenu une espèce d'habitude.

Joan Dougherty

— *Pour en revenir à votre rôle de députée: est-ce que votre campagne électorale a été difficile?*

— Pas vraiment. J'avais vécu plusieurs élections au niveau scolaire. Et c'était la même chose. De plus, j'étais habituée à la vie publique dans la Commission scolaire. Et nous avions vécu tant de luttes, tant de guerres avec le gouvernement en place que ce n'était pas, pour moi, une façon nouvelle d'agir.

— *Une fois arrivée à Québec, au Parlement, là où s'exerçait ce pouvoir que vous combattiez, qu'avez-vous pensé?*

— D'abord c'est un milieu artificiel. Ce qui se passe à l'Assemblée nationale ne sert pratiquement à rien. C'est un système vraiment dépassé. Mais nous n'avons rien pour remplacer l'actuel système parlementaire. C'est la même chose à Ottawa, probablement pire. C'est vraiment artificiel. Dans l'opposition surtout, on n'a pas beaucoup de pouvoir, on perd tous les votes. . . On peut parler. On peut essayer d'influencer pour amender les lois mais c'est un jeu de pouvoir. Au début, je ne réalisais pas à quel point c'était un "jeu" de pouvoir. D'autre part, le pouvoir des media m'a vraiment frappée. Je ne sais pas pourquoi. J'avais vécu avec les media depuis longtemps. . . mais j'ai commencé, à Québec, à me demander si c'était les gens des media qui étaient les vrais politiciens ou si c'était les politiciens eux-mêmes! Parce que le pouvoir des média est vraiment grand. Et cela me fait peur parfois. Les media faussent la vérité, faussent les problèmes. Ils les rendent trop simplistes. Les problèmes de notre société ne peuvent pas être présentés en noir et blanc. La nature de la politique force les politiciens à présenter les problèmes en noir et blanc. C'est une réelle insulte à l'intelligence du public. Mais c'est une espèce de cercle vicieux, car, dans un sens, le public demande des explications simples, et attend des réponses et des solutions simples. Et nous sommes pris dans ce cercle vicieux. J'étais donc un peu déçue par ce jeu que j'avais découvert.

— *Et maintenant?*

— Je suis moins déçue. . .

— *Est-ce que vous vous êtes habituée au jeu de la politique?*

— Peut-être! Mais surtout, je n'ai pas changé mon style. Je continue à agir exactement de la même façon. Je dis ce que je pense. Je lutte pour les choses que je trouve importantes. Je crois qu'on est apprécié quand on garde son intégrité. Je n'essaie pas d'être populaire, d'être vedette. . .

— *Est-ce que ce jeu-là est un jeu d'hommes?*

— Peut-être. Et cela m'a surprise aussi. J'ai toujours travaillé avec des hommes: dans les comités, à la Commission scolaire et, pour la première fois, j'ai rencontré des hommes qui cherchaient le pouvoir. Ils ne cherchaient pas à défendre une cause, c'est le pouvoir à tout prix. J'ai beaucoup de respect pour mes collègues mais je dois dire que j'ai été surprise de voir la compétition qui existe entre eux. Auparavant, je travaillais dans des comités, des groupes qui avaient un objectif et tout à coup, j'ai découvert des gens qui travaillent pour leur propre objectif.

— *Autrement dit, les objectifs de parti se*

Joan Dougherty

diluent quand on arrive à un certain niveau de pouvoir. . . Aviez-vous pensé devenir députée?

— Non. Je n'y avais pas pensé du tout. C'est une conséquence normale de mes expériences de vie. C'est un autre moyen, une autre étape pour essayer d'accomplir les mêmes choses, pour créer les meilleures conditions d'éducation, un meilleur climat.

— Contrairement à certains collègues qui cultiveraient des ambitions personnelles, est-ce que ce "dévouement" à une cause est propre aux femmes qui s'engagent en politique?

— En général oui. L'attitude que j'ai est une attitude qui prévaut chez les femmes. Mais il y a aussi des hommes qui ne cherchent pas le pouvoir et des femmes qui le cherchent. Mais de manière générale, il y a une différence entre la motivation des hommes et celle des femmes. La politique pour un homme peut être une carrière. Pour moi, ce n'en est pas une, c'est un moyen, une étape. Sur le plan personnel, je ne cherche rien.

— Si demain, dans une élection, vous étiez battue, qu'est-ce que vous perdriez?

— Pas grand-chose: je suis sûre que je trouverais une autre organisation, un autre milieu de lutte pour mes objectifs, pour mes principes. Mon identité n'est pas dépendante d'une carrière politique. J'ai d'autres satisfactions: j'ai cinq enfants qui ont du succès dans leur vie, j'ai fait toutes sortes de choses, j'ai une réputation dans la communauté. . . Je suis une femme honnête, avec beaucoup d'énergie, qui lutte honnêtement pour toutes sortes de causes. . . Cela me suffit. J'ai déjà réalisé une partie de mes aspirations. . . Les jeunes politiciens, eux, doivent miser tout leur avenir sur leur succès, donc ils ne se risquent pas. Moi je peux prendre des risques. C'est le principe qui compte. Je ne lutte pas pour moi-même. Les causes sont plus importantes que moi-même. Mon identité n'est pas là! Et jamais je ne compromettrais mes principes pour gagner une élection. Pas plus que je ne désire manipuler des gens pour gagner le pouvoir, jamais!

— *Ce pouvoir-là que représente-t-il pour vous?*

— Il faut vivre avec sa conscience et ses responsabilités. Je n'aimerais pas me décrire comme une sainte! Il y a des gens parmi mes collègues qui ont déjà connu des épreuves dans la vie et qui ont la même attitude que moi. Mais quand on commence très jeune comme politicien, tout l'avenir dépend de sa capacité de conserver le pouvoir. Il y a danger de jouer avec ses principes pour se maintenir au pouvoir, pour plaire à tout le monde.

Il est difficile de généraliser. J'ai toujours été convaincue que l'exemple était le meilleur enseignant. On apprend avec un modèle. Et les jeunes d'aujourd'hui sont devenus un peu sceptiques face aux parents ou au système déjà en place. Mais ils vivent avec des changements qui sont énormes. Les jeunes des années soixante ont changé bien des valeurs: la libération des femmes, la libération des hommes. Et aujourd'hui, ceux qui suivent valorisent plus l'individualisme dans un monde qui s'est ouvert pour eux. Ils sont moins engagés mais c'est normal: c'est ne pas faire la même chose que la génération qui a précédé. Cependant il leur manque une certaine lutte. Car c'est en luttant que l'identité s'affirme. Si je regarde mes enfants qui étaient adolescents dans les années soixante, ils sont très "matures" maintenant et sont des enfants formidables. Tandis que les plus jeunes semblent se contenter du statu quo. Ils n'ont pas beaucoup d'ambition. Ils veulent la même chose que leurs parents. C'est un peu triste, je crois. C'est peut-être seulement une réaction. . .

— La crise économique y est sans doute pour quelque chose?

— Oui, le chômage et la crise économique assez récente rendent les jeunes pessimistes, découragés. Nous aurons peut-être une autre révolution des jeunes parce qu'ils ne pourront pas tolérer cela: se sentir inutiles, ne pas travailler. . . Un jour, ils prendront leur propre sort en mains et cesseront de demander aux autres de s'occuper de leur avenir. Ils commencent à réaliser que chacun doit prendre ses responsabilités. C'est peut-être une des leçons de la crise économique actuelle."

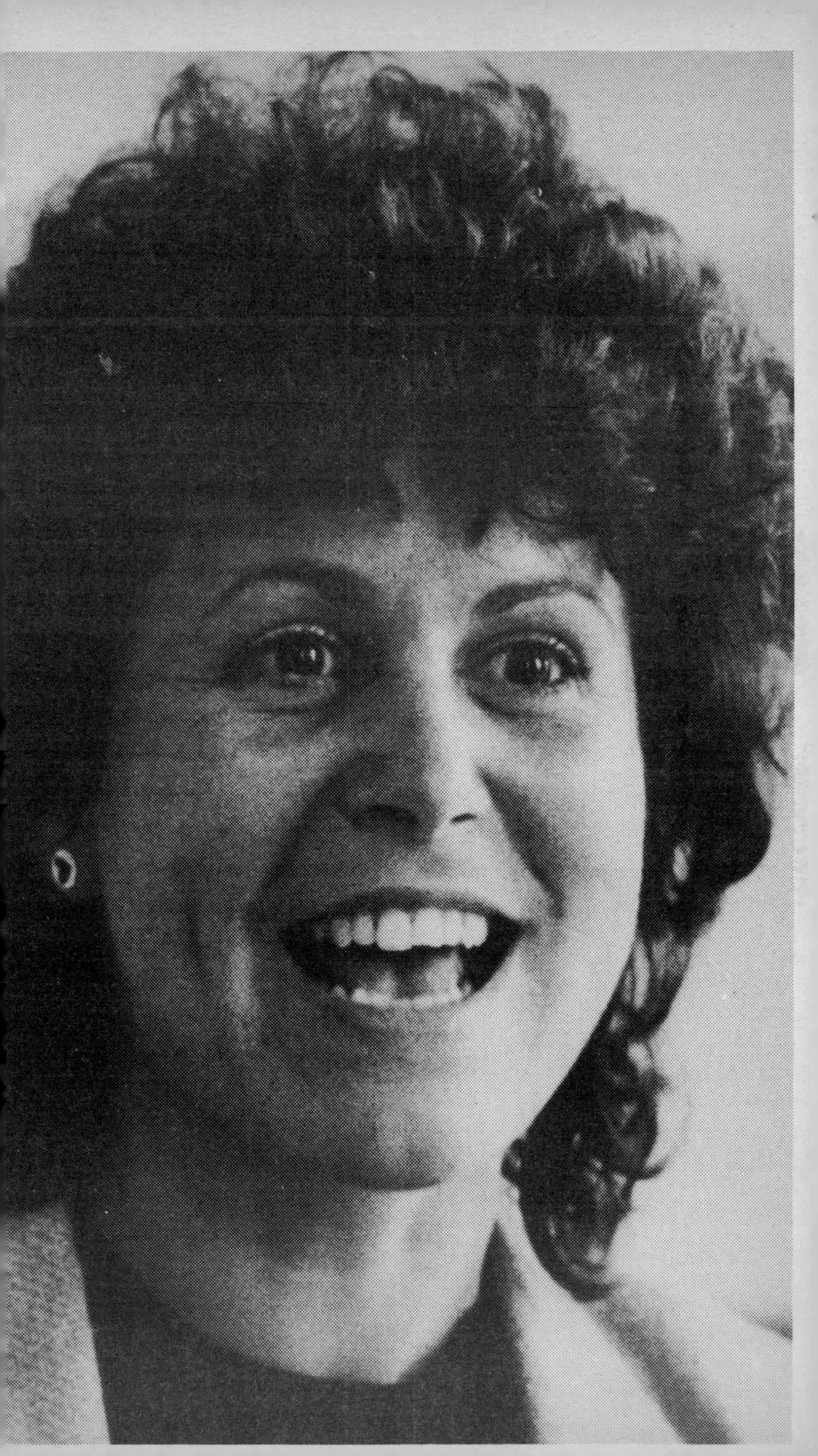

Louise Harel

députée de Maisonneuve

"Il est plus facile de s'asseoir à l'Assemblée nationale que de s'y lever."

Née à Ste-Thérèse de Blainville le 22 avril 1946, Louise Harel fait toutes ses études, avant l'université, au séminaire de Ste-Thérèse. Puis elle étudie la sociologie et le droit à l'Université de Montréal. Elle est admise au Barreau du Québec en 1978.

Elle travaille comme permanente au secrétariat national du Parti québécois en 1970 et 1971. Elle est ensuite pendant quatre ans au service d'appui technique aux groupes populaires pour le Conseil du développement social du Montréal métropolitain. De 1979 à 1981, elle est responsable du dossier de la Condition féminine au Centre de services sociaux du Montréal métropolitain (C.S.S.M.M.).

Parmi les nombreuses responsabilités qu'elle a assumées dans différents organismes, elle a été vice-présidente de l'Union générale des étudiants du Québec (U.G.E.Q.), puis présidente du Parti québécois pour la région Montréal-Centre et enfin vice-présidente du Parti en 1979.

Louise Harel a été élue députée de la circonscription de Maisonneuve en 1981.

Louise Harel est bien connue à Montréal et dans tout le Québec. Louise Harel vice-présidente du Parti québécois; Louise Harel qui sait tenir tête au Premier ministre; Louise députée dans le comté de Maisonneuve où l'on m'a dit: "C'est une des nôtres"; Louise qui est partout où se mènent des luttes féministes; Louise Harel et sa voix douce, insolite dans ce milieu de politiciens où l'on parle fort. . .

Jeune mère de 37 ans, Louise Harel n'est arrivée en politique ni par accident ni par une démarche préméditée. On dirait plutôt qu'un chemin s'est ouvert devant elle vers l'adolescence; elle s'y est engagée

Louise Harel

et elle l'appelle le militantisme.

''Aussi loin que je puisse me rappeler, j'ai toujours fait de la politique, dans le sens le plus large du mot. Cela date de l'époque où je collectionnais les éditoriaux de Laurendeau dans Le Devoir.

— *Quel âge aviez-vous?*

— Je devais avoir treize ou quatorze ans. Mon héros était Laurendeau, à cause de la Commission Laurendeau-Dunton. De plus, je me rappelle très distinctement la mort de Duplessis en 1959.

Louise Harel

— Est-ce votre milieu qui vous a sensibilisée de manière si précoce à la politique?

— Sans doute. Ma mère était coiffeuse dans la ville natale de mes parents, de mes grands-parents. Dès que je rentrais de l'école, je m'installais dans le salon de coiffure et j'écoutais. J'étais donc très proche de ce monde de femmes que ma mère appelait le public. J'ai vécu à Ste-Thérèse jusqu'à l'âge de vingt et un ans. Mon père était devenu professeur d'histoire après ses études au Séminaire de Ste-Thérèse où il avait lui-même étudié. Le séminaire était un centre de nationalisme assez important parce que le chanoine Groulx y avait enseigné. Ce séminaire est d'ailleurs devenu le CÉGEP Lionel-Groulx. Raymond Barbeau, membre du mouvement indépendantiste de la fin des années cinquante qui s'appelait la Laurentie, m'a enseigné la littérature. Mes parents étaient membres de la Société St-Jean-Baptiste et m'amenaient avec eux. . .. Lors de certains congrès, j'y ai vu Raymond Lévesque et je me rappelle avoir été bouleversée, très émue dans ces soirées-là.

De plus, dans ma famille, on considérait que le régime Duplessis était non seulement corrompu, mais aussi très conservateur, retenant le Québec dans ses élans d'affirmation. On a dit par la suite que l'époque Duplessis était une période de grande noirceur.

J'ai un souvenir vague, mais une impression très forte du mécontentement de mon père. À ce moment-là, il n'était pas question d'indépendance, mais d'identité, d'affirmation de soi. Mon père était commissaire d'école. Il y avait une communauté portugaise assez importante qui s'était installée à Ste-Thérèse et qui voulait l'accès à l'école anglaise. La petite ville, avant l'installation de la General Motors, était un milieu exclusivement canadien français. Je me souviens des discussions que mon père a pu avoir à la maison avec des représentants de cette communauté portugaise: il s'opposait à ce que l'école serve d'intégration des immigrants au milieu anglophone. . .

C'est vrai, ces influences-là ont joué dans mon enfance.

— Et vous, en plus du rôle d'observateur, que faisiez-vous?

— J'étudiais. Mais, dès 1962, c'était le début de la révolution tranquille et tout me passionnait: la nationalisation de l'Hydro-Québec, les bouleversements, les changements, l'effervescence qui agitaient le Québec à ce moment-là. Dans la famille, on discutait plus que jamais: mon père était devenu directeur d'une régionale. Les régionales sont le produit du rapport Parent, donc de la révolution tranquille. On parlait donc de problèmes scolaires. J'ai cependant étudié dans un collège privé.

Mon père était beaucoup plus favorable à l'école publique pour ses enfants; mais, si une fille voulait continuer ses études, c'était une absolue nécessité qu'elle aille dans un collège privé. En effet, le système scolaire conduisait à un cul-de-sac n'ouvrant jamais aux études collégiales et universitaires. Je me rappelle avoir supplié mes parents en cinquième année pour qu'ils m'envoient au collège privé. Et mon voeu le plus cher était de devenir journaliste. Je n'avais pas que Laurendeau comme idole! Mais il y avait si peu de femmes journalistes. L'une d'elles pourtant, Adèle Lauzon, m'impressionnait. Elle travaillait chez McLean. Plus tard, je l'ai rencontrée et je lui ai dit toute mon admiration.

Je suivais attentivement tous les événements politiques qui survenaient au Québec. Cela fait déjà plus de vingt ans. C'était hier, pour moi. Et je trouve important d'avoir eu quinze ou seize ans à ce moment: j'y apprenais que le changement était la norme dans une société. Je ne vivais pas mon adolescence dans une société bloquée, au contraire, je la vivais dans une société en effervescence.

J'ai donc fait mes études au couvent à Ste-Thérèse, puis je suis allée au collège Marie-Anne jusqu'en versification. Mes parents avaient choisi Marie-Anne parce qu'on y faisait du sport. . .

Ensuite, j'ai voulu retourner là où avaient étudié mon père, mon oncle, mon frère, au séminaire Ste-Thérèse. On commençait à y recevoir des étudiantes. Comme j'avais commencé à étudier le grec, j'ai poursuivi, au séminaire, dans une classe entièrement masculine. Et je crois que cela a été très important pour ma formation. Avec mes collègues garçons, j'y ai fait beaucoup de syndicalisme, de journalisme étudiant. J'étais rédactrice en chef du journal *Le Thérèsien* qui avait gagné une "griffe d'or" du journalisme étudiant. C'était important pour nous qui étions éloignés du grand centre, de Montréal. . . Une petite parenthèse qui en dit long: aux étudiants qui terminaient leur secondaire à Ste-Thérèse, on offrait un prix de fin d'année qui consistait en un voyage à Montréal. . .

Aussi, dès ma pré-adolescence, j'ai fait partie de mouvements de jeunes. J'avais onze ans quand, pour la première fois, j'ai participé à un camp d'hiver de la J.E.C. (Jeunesse étudiante catholique). Mon père, qui était venu me conduire à la gare, m'avait donné un conseil: "Si un monsieur âgé te parle, tu ne lui réponds pas. Si c'est un jeune, tu peux lui parler." Depuis, j'ai trouvé que c'était un sage conseil. J'ai fait de la J.E.C. pendant des années. J'étais aussi très impliquée dans le mouvement des Guides. . .

— Vous ne pouviez pas concevoir, même très jeune, votre vie sans une implication dans la société, dans votre entourage?

— Absolument pas. J'ai conscience

d'avoir fait partie d'une génération qui a été très encadrée, très soutenue par des organismes. Ceci m'a appris la vie en groupe, le travail d'équipe et aussi l'intervention publique. Plus tard, je suis devenue vice-présidente de l'Association des étudiants. On était tellement minoritaire qu'il n'était pas question, pour une fille, d'être présidente. Mais je participais aux congrès de la fédération et à ceux de la Presse étudiante nationale. Je consacrais au journal des heures et des heures. On se retrouvait au local tous les soirs. Mais il y avait un moment où je ne pouvais plus suivre mes amis: quand ils partaient prendre une bière. Il était impensable pour moi, pour ce que mes parents attendaient de moi — du moins c'est ce que je pensais — il était impensable que je me retrouve, avec d'autres étudiants, à l'hôtel Blainville, au H.B. comme ils disaient! Jamais je ne serais entrée dans cet endroit-là, considéré comme une taverne. . .

— C'était une partie de votre éducation qui s'exprimait aussi dans cette interdiction?

— L'éducation, oui, mais aussi le milieu social. Cela aurait été pour mes parents un très grand objet de scandale qu'on m'y voie prendre une bière. J'avais d'autres terrains d'activités. D'ailleurs, cela me rappelle une anecdote importante: au séminaire de Ste-Thérèse, il y avait un pavillon où les filles, pour la plupart, étaient obligées de suivre tous leurs cours. Je faisais exception à cause de mes études de grec. Dans le fond, si j'ai poursuivi des études de grec, c'est peut-être pour pouvoir m'échapper, pour avoir accès au collège. . . Car il était interdit aux filles, après cinq heures, d'aller à la bibliothèque ou à tout autre endroit que leur pavillon. J'ai donc organisé un sondage, avec questionnaire, auprès des parents de toutes les étudiantes pour leur demander leur opinion sur cette question. Et, très massivement, les parents avaient répondu qu'ils préféraient que leurs filles soient considérées comme des étudiantes à part entière, qu'elles s'intègrent de façon complète au Séminaire de Ste-Thérèse. Cela, d'une certaine façon, a été ma première victoire: réussir à provoquer des changements dans mon milieu, à mon niveau.

— *Vous aviez alors cette capacité de pressentir les besoins de votre milieu et de faire les gestes, les actions nécessaires pour obtenir les changements.*

— Oui. J'avais compris comment on s'organise, comment on trouve les moyens de réaliser ce qu'on souhaite. . . Puis, en 1966, il y a eu déclenchement d'élections et venue de Jean Lesage qui débutait sa tournée électorale au séminaire de Ste-Thérèse. J'avais déjà adhéré au R.I.N. et, avec un groupe d'étudiants, nous avions préparé des questions. J'étais allée au micro et certains sujets avaient été relevés dans les journaux. . . Je suivais assidûment les activités de la Société St-Jean-Baptiste et j'avais été déléguée aux "états généraux". C'était au moment où Lysiane Gagnon avait publié des éléments du rapport Laurendeau-Dunton. Ce rapport révélait que les Canadiens-français occupaient dans la structure socio-économique une position inférieure. J'éprouvais un très profond sentiment d'injustice. Il y avait aussi une très forte agitation sociale dans la région: une grève à Lachute a mobilisé une partie des étudiants. Je crois avoir participé là à mes premières manifestations. Puis j'en ai organisé une lors de l'arrivée du train du Centenaire de la Confédération. Nous étions peut-être trois ou quatre cents étudiants. Cela ressemblait à une fête. Les gens sortaient sur le pas de leur porte. . . Mais c'était quand même important.

— *Dans toutes ces activités, travailliez-*

vous avec d'autres filles?

— Bien sûr que non. Il y avait surtout des garçons. . . Et maintenant, au sujet de cette prise de conscience, je pense que tant que l'on est célibataire ou que l'on vit comme célibataire, il est très difficile de concevoir ce que cela représente, la double charge (parentale et charge de travail) des femmes. J'ai la conviction que je ne suis vraiment devenue féministe qu'à la naissance de ma fille Catherine. C'est à ce moment-là seulement que je me suis rendu compte que l'on exigeait beaucoup des femmes, en termes de double ou triple responsabilité. J'ai beaucoup de respect pour les femmes qui nous précèdent, mais je crois que ma génération est la première qui veut réconcilier. Car, selon moi, concilier c'est perdre des deux côtés, réconcilier c'est tenter de changer des choses. Nous avons tenté de modifier ce choix très injuste qui était offert aux femmes entre une carrière ou une vie familiale. Ma génération a réalisé une certaine rupture en refusant ce choix inéluctable.

— *Mais cela implique de gros changements dans la société.*

— Oui, et cela implique aussi de forcer les pouvoirs publics à faire face à la réalité des enfants. Tant que le choix était individuel, on ne forçait pas le gouvernement à penser aux garderies . . .

Alors que maintenant, collectivement, les femmes veulent assumer et la carrière et la vie familiale. Les choses auront vraiment changé quand il y aura une garderie à l'Assemblée nationale. Cela m'apparaît important. Pourquoi la vie publique ne serait-elle destinée qu'aux hommes? Je dis souvent la différence entre un homme public, expression qui valorise, et une femme publique, expression qui signifie que les femmes sont "déplacées" quand elles sont sur la place publique.

— *Une femme doit être bien tranquille, bien discrète. . .*

— Mais on peut parler fort nous aussi! Cependant, il n'est pas nécessaire de crier. Quand j'essaie d'utiliser cette voix qui se projette, comme les hommes savent si bien le faire, je pense facilement avoir l'air hystérique. C'est incroyable comment les femmes qui parlent d'un ton trop haut, dans un micro ou ailleurs, peuvent avoir l'air de déborder et de ne plus avoir le contrôle de leur discours.

— *Sans aucun doute, elles ont le contrôle mais ne paraissent pas l'avoir. . .*

— Effectivement. Je me rappelle qu'à la fin d'une session j'avais fait un rêve dans lequel je me disais: c'est terminé de parler sur un ton plus élevé que mon ton habituel. Je vais demander tout simplement aux techniciens de monter le son. . . Pourquoi s'en tenir au modèle masculin du discours? À l'âge de dix-sept ans, souvent on me disait: "Parle plus fort!" J'ai la même voix que ma mère, ma soeur. On nous confond parfois. . . J'ai décidé, à ce moment, que je n'allais pas abandonner ce que j'étais. Je pensais: il y a moyen de dire ce que l'on pense, il y a moyen d'avoir des idées, sans pour autant frapper du poing sur la table. Par la suite, je me suis souvent rendu compte à quel point était stéréotypé le fait de s'époumonner pour manifester plus d'assurance. On peut avoir une voix qui semble fragile et développer une force de persuasion, une fermeté dans ses opinions et ses propos.

Je voudrais revenir sur mes activités étudiantes. . . J'ai effectué un stage à l'A.S.E. (Action sociale étudiante). Cette organisation travaillait à divers projets communautaires à travers le Québec. Pour ma part, il s'agissait d'un projet de coopérative à St-Henri. C'était la première fois que mes principales activités étaient à Montréal. Et là, j'ai connu un aspect de la réalité sociale: après deux mois, les autres étudiants et moi avons réalisé que nos tracts, nos dépliants n'étaient pas lus parce qu'au moins le tiers des gens était plus ou moins analphabète.

Cela m'a donné beaucoup d'humilité, de modestie sur la façon de travailler en milieu communautaire. Il en a résulté que, dès la rentrée scolaire, j'ai laissé la faculté de droit à laquelle j'étais inscrite pour commencer plutôt des études en sociologie. . . Je n'ai fait le droit qu'en 1974. Puis j'ai travaillé pendant un an à l'Union générale des étudiants du Québec (U.G.E.Q.). On était en 1968, l'année des occupations dans les institutions d'enseignement. Mon rôle consistait à rencontrer systématiquement toutes les associations locales. J'ai fait le tour du Québec, ses écoles normales, ses collèges, ses écoles d'infirmières

. . . J'ai vécu là mon premier échec. Nous étions enfermés dans la logique suivante: négocier, c'est se faire avoir. La logique du "tout ou rien". Comme ce n'est jamais "tout", c'est toujours "rien". Ajoutez à cela le sentiment que l'instruction ne nous menait à rien. . . Et enfin la dissolution de l'U.G.E.G. . J'en ai conclu, pour la vie je pense, quun compremis est toujours préférable, qu'une négociation est toujours souhaitable, que la concertation est toujours meilleure que la confrontation.

— *Comment s'est passée votre entrée au Parti québécois?*

— Dans le milieu étudiant, ce n'était pas bien vu d'être nationaliste. Pourtant, en avril 1970, j'ai fait la campagne électorale en roulotte, en Abitibi, dans l'Outaouais. Les gens venaient nous voir à la brunante pour ne pas être identifiés par leurs voisins. En août, j'étais à la permanence du Parti. Aussitôt après, ce fut la Crise d'Octobre. Cela a été un choc, un électrochoc. Le processus de répression, ce sentiment de peur qui avaient gagné le Québec ne devaient plus se reproduire, il fallait de nouveau croire aux moyens démocratiques. Ensuite, on a fondé le syndicat des permanents du Parti, on s'est affilié à la C.S.N. Il s'est trouvé qu'après avoir négocié notre première convention collective, l'ensemble du comité a été mis à pied. En partie pour des problèmes de trésorerie, en partie parce qu'on nous considérait comme des éléments perturbateurs. Je crois que c'est un des plus grands services que j'aie reçus car j'ai été élue à l'exécutif dans le comté de St-Jacques, puis à la région Montréal-Centre qui comprend dix-sept comtés. J'y ai passé huit ans dont cinq comme présidente. En 1979, j'étais vice-présidente du Parti, en 1981 députée.

— Dans ces dix ans, vous vous êtes mariée, puis il y a eu Catherine?

— C'est cela. Je dois dire que j'ai eu et j'ai encore une situation tout à fait privilégiée. Je le sais. Je le sais. Je peux compter sur une femme extraordinaire avec qui j'ai été élevée et qui, maintenant, est très présente à ma fille Catherine. Sans elle, je suis convaincue que ce serait beaucoup plus difficile. J'ai toujours eu la chance de trouver près de moi des femmes, des voisines sur la rue St-Hubert, des gardiennes à Outremont, qui ont toujours été disponibles. Sans elles, je ne sais pas ce que j'aurais pu faire.

— Votre cheminement, pas à pas, vers la fonction que vous occupez actuellement ne ressemble pas à un plan de carrière. Cependant, on ne peut pas parler d'accident de parcours non plus. Comment résumeriez-vous, si cela était possible, ces vingt

années?

— Dans le mot "carrière", j'ai déjà entendu Gilles Vignault dire qu'il y avait le mot "arrière". Je n'ai pas oublié. Je préfère être une militante. Je ne crois pas faire une carrière. Certaines choses ont changé depuis que je suis députée. J'ai senti, dans les yeux de mes collègues, cette interrogation: si elle est là, c'est parce qu'elle est différente des autres. Puisque les autres n'y sont pas et qu'elle, elle y est, elle ne représente pas les autres.

Et je nous ai senties très seules, nous la poignée de femmes à Québec. J'ai réagi en choisissant de rester différente et de faire savoir que d'autres femmes aussi étaient comme moi et que je les représentais. Quelle est cette différence? On avance, là, à tâtons. . . Des exemples: les femmes qui interviennent à l'Assemblée nationale le font beaucoup plus en connaissance des dossiers que les hommes.

Ou encore: elles se permettent moins de parler hors du sujet, de faire des interventions extravagantes. J'ai eu, dès le début, l'impression de ne pas faire partie de l'équipe, de la meute. C'est l'esprit de clan qui prévaut. Et il est très difficile pour une femme d'en faire partie. Et puis, les femmes ne sont pas socialisées pour le combat, pour le rapport de forces permanent. On n'arrive pas, nous les femmes, à accepter qu'on peut perdre, même si on a raison. . . parce que nos adversaires ont mené un meilleur combat! Les femmes n'acceptent de combattre que lorsqu'elles ont des motifs, des projets, des idées. C'est pourquoi j'en ai connu qui, devant le rapport de forces permanent, refusaient, s'échappaient.

— Est-il possible alors, pour les femmes, de refuser le "combat pour le combat" et de travailler en politique quand même?

Louise Harel

— Il n'y a qu'un moyen: être plus nombreuses. . . pour développer un autre modèle d'action politique. Ce ne serait peut-être pas mieux mais différent. Pourquoi des femmes "décrochent-elles" après avoir beaucoup participé? Parce qu'elles refusent la "politique de politiciens", c'est-à-dire une politique qui ne tient presque plus compte des objectifs initiaux. Elles ne veulent plus s'impliquer dans des rapports très artificiels, ou pour des intérêts personnels.

— Mais pour être plus nombreuses, il faut que les députées démontrent que la politique, ce n'est pas pour rien!

— La seule démonstration que je puisse faire est de faire mon métier du mieux que je peux, en assumant d'y être comme femme. C'est-à-dire que je privilégie d'abord les rapports humains, sans que l'ambition prenne le dessus. Je ne peux porter à moi seule un projet comme "Égalité et Indépendance". Et pourtant j'y travaille. . . J'essaie d'être une bonne députée pour mon comté de Maisonneuve. Vous savez, les électeurs ne peuvent pas congédier l'appareil gouvernemental. Ils peuvent me congédier, moi. À moi de faire échec à l'appareil gouvernemental quand celui-ci est en désaccord avec leurs intérêts, leurs besoins. C'est aussi cela, la politique. Enfin, à Québec, il est plus facile de s'asseoir à l'Assemblée nationale que de s'y lever. On s'y asseoit avec tous ceux qui vous ont élue, mais on s'y lève seule, pour parler avec sa voix de femme. . ."

Huguette Lachapelle

députée de Dorion

"Je connaissais la valeur du travail
de militant dans un comté.
Moi, j'avais un travail payé,
mais j'avais besoin d'eux:
le travail politique est un travail d'équipe
et mes responsabilités reposaient
sur cette équipe."

Huguette Lachapelle est née à St-Basile, dans le comté de Portneuf, le 28 octobre 1942. Elle a obtenu un diplôme d'études commerciales au Elie Business College à Montréal.

Après avoir été secrétaire-réceptionniste dans différents bureaux de Montréal, Huguette Lachapelle se retire du marché du travail et se consacre à sa famille.

Organisatrice de la tournée électorale de Lise Payette dans le comté de Dorion où elle vit, elle se voit confier la responsabilité du bureau de comté dès la victoire de Lise Payette en 1976. En 1981, elle est à son tour députée du comté de Dorion et, en septembre 1982, elle est nommée whip adjointe du gouvernement.

Huguette Lachapelle m'a réservé le meilleur moment de sa journée: son dernier rendez-vous. Ainsi, comme elle le désire, personne de son comté n'aura eu à attendre trop longtemps. Ces entrevues sont de celles qui s'éternisent. . . on peut discuter longtemps sur la condition et le travail d'une députée. Et, parce qu'elle raconte en détails la vie de son comté, ses rapports avec les gens, ses luttes, ses émotions, son plaisir. . . je dirais que Huguette Lachapelle a une ardeur, une foi peu communes. On a beau être députée, c'est un peu ingrat d'avoir toujours à régler les problèmes des autres, non? Eh bien, à en croire Huguette Lachapelle, c'est son travail, qu'elle fait de son mieux et surtout, qu'elle aime.

"Je ne suis pas devenue députée du jour au lendemain. Il y avait longtemps que je travaillais comme bénévole pour le Parti québécois dans le comté de Dorion. En fait, depuis 1969. J'ai fait partie de l'exécutif à plusieurs reprises. En 1973, j'ai travaillé pour monsieur Lévesque, en 1976 pour madame Payette. Et comme secrétaire de comté pour elle, aussitôt après son élection.

— *C'est elle qui vous a demandée?*

— Oui. Quand elle est arrivée, au début de la campagne électorale, tout le monde du comté était là. Nous nous sommes présentés, c'est tout. Peu après, on me demandait si je voulais organiser une tournée de comté pour elle. J'ai accepté. Je connaissais bien Dorion. Mais on n'avait pas beaucoup de temps: une campagne de vingt-huit jours, à peine. Cela a été une réussite. Et j'avais été responsable de tout ce que devait faire notre future députée... Elle a gagné. Quand, deux semaines après la victoire, elle m'a demandé de travailler pour elle, au bureau de comté, je n'ai rien trouvé d'autre à faire que d'hésiter: il y avait seize ans que j'avais quitté le marché du travail, j'élevais deux enfants. Je voulais y penser un peu. À ce moment-là j'ai dit: "Il faut que j'en parle à mon mari." Actuellement, je ne dirais plus cela. Ma première réaction: savoir ce qu'en pensait mon mari! Mais la décision s'est prise rapidement car je voulais y aller. Je me disais que les enfants étaient tous les deux à l'école, que le bureau n'était pas loin de la maison, que je pouvais être là à l'heure des repas, que, finalement, je serais absente pendant que tout le monde était absent de la maison...

Alors, ce fut oui.

— Mais ce travail vous a occupée pendant bien plus de temps que les "heures de bureau"?

— Oui, et on ne pense pas à cela: on continue le bénévolat! Campagnes de financement, projets. . . je ne voulais pas laisser tomber le Parti. Je prenais cela d'autant plus à coeur que je connaissais la valeur du travail de militant dans un comté. Moi, j'avais un travail payé, mais j'avais besoin d'eux: le travail politique est un travail d'équipe et mes responsabilités reposaient sur cette équipe.

J'ai donc été très vite débordée. Comme notre députée était ministre, j'allais à Québec aux réunions de cabinet, j'essayais d'être au courant de tout. Cela me poussait à agir rapidement, car le temps nous pressait toujours.

Huguette Lachapelle

— Comment avez-vous décidé de remplacer madame Payette?

— Évidemment, je n'y avais jamais pensé tandis qu'elle était là. Quand nous avons su qu'elle ne se représenterait pas, moi comme tous les autres militants, nous attendions un "gros canon" comme on dit. Il n'y avait personne en vue. Dans le comté, on ne voulait pas n'importe qui et, en plaisantant, je disais: "C'est un peu mon comté, alors, je suis prête à travailler avec quelqu'un qui a de l'allure!" Et un jour, monsieur Lévesque m'a dit: "Il paraît que c'est vous le "gros canon" de ce comté!" J'ai seulement répondu: "Ah oui? Alors, on se reverra au centre Paul-Sauvé!" Techniquement, j'étais prête. On a embarqué. Je m'étais fait connaître, j'avais réglé des tas de dossiers comme secrétaire en l'absence de la Ministre.

— Étiez-vous aussi connue que leur députée?

— Pas autant qu'elle au Québec, mais dans le comté, oui, je l'étais. Lors de la mise en candidature, j'ai eu de l'opposition. Mais les gens ont choisi. J'espère que, depuis ce temps, ils ne le regrettent pas. Je fais le maximum comme députée.

— *Quelles sont vos priorités?*

— Savez-vous que Dorion est le deuxième comté au Québec où il y a une très forte concentration de personnes âgées? On les a longtemps oubliées, ces personnes. On ne se rendait pas compte que la population du Québec vieillissait. Ma priorité, ce sont elles. Elles ont beaucoup de besoins, en logement, en programmes d'aide comme le service à domicile. Ici, c'est le quartier Villeray, et les habitants ne veulent pas quitter leur quartier. Quand ils ne sont plus capables de tenir maison, ils veulent avoir un logement à prix modique et des services dans le secteur. Ils sont très attachés au marchand du coin, à la plaza St-Hubert qui est tout près, à leur paroisse. Le curé est là depuis longtemps, ils en parlent beaucoup.

— *Est-ce qu'on y est attaché aux valeurs traditionnelles?*

— Oui. L'esprit de famille, l'appartenance à une paroisse. . . Quand les gens viennent nous voir, ils parlent du curé, quand ils vont voir le curé, ils parlent du député. La plupart du temps d'ailleurs, nous collaborons: nous avons un peu le même rôle. Et je dis au curé: si vous partez en vacances, ne vous inquiétez pas, je suis là. . .

Ce comté couvre un petit territoire, avec beaucoup d'escaliers! Il y a quelques industries, des petits commerçants, une partie de la plaza St-Hubert, et pour la majorité, des résidents: vieux propriétaires, vieux locataires qui sont là depuis la construction des maisons, qui n'ont pas bougé. Souvent, les enfants qui partent reviennent vivre dans le quartier. On a l'impression que ce sont toujours les mêmes gens. J'ai d'ailleurs moi-même habité plusieurs endroits du comté et je connais des gens partout. Ils disent: "Je voudrais un rendez-vous avec madame Lachapelle, c'est mon ancienne voisine. . ." J'aime ces contacts. Je ne néglige aucune rencontre. Je ne veux faire attendre personne: si quelqu'un nous appelle, c'est qu'il a un problème à régler, donc c'est urgent et cela ne peut se faire dans deux mois! Quand les gens ne sont pas capables de venir au bureau, je me déplace, ou bien je les appelle. La fonction de députée ne se termine pas quand on sort du bureau. J'ai une secrétaire qui me donne des devoirs et des leçons à faire à la maison!

— *Qu'est-ce qui a changé, pour vous, quand vous êtes passée de secrétaire à députée?*

Huguette Lachapelle

— La responsabilité. Lorsque j'étais secrétaire, je m'occupais des gens de mon comté, je prenais certaines décisions, mais jamais sans en discuter. Maintenant, la responsabilité est sur mes épaules. Et je dois prendre des décisions. Je reste inquiète du problème de monsieur Untel. . . je me demande ce que je peux faire. Parfois, les gens s'ennuient seulement, alors je leur dis de venir prendre un café au bureau avec nous. On a nos habitués. C'est ouvert à tout le monde.

— *Ce qui vous est demandé, c'est beaucoup de présence?*

— Surtout de la présence. Les gens ont besoin d'être écoutés et je me suis aperçue que, à cause de cette population âgée, il y a beaucoup de gens seuls. Et quand on est seul et qu'on a un problème, le problème est très gros. Si nous y portons une grande attention, ils sont heureux et reviennent nous voir. Il faut savoir aimer les gens. Je m'ennuie à Québec. Il y a des gens qui sont pris par leur travail, par leurs dossiers. . . Ce n'est pas la vie de tous les jours comme dans le comté. Je vais faire la commande d'épicerie, je rencontre les gens de mon comté. Il faut que je sois très attentive à eux, que j'oublie la personne que j'ai rencontrée avant. . .

— Est-ce que les femmes remplissent mieux ce rôle que les hommes?

— Les femmes sont plus attentives. J'ai l'impression qu'elles savent mieux écouter. Je connais des hommes attentifs, mais ils ne seront jamais comme des femmes peuvent être: sensibilité, conscience, écoute.

— Ce rôle très humain semble être une partie importante de votre travail de dépu-

tée. Est-ce que vous pensez à l'impact électoral de ces contacts?

— On ne pense plus à cela. Ceux que je reçois ici, je ne pense qu'à les aider. Parfois on ne peut pas. Alors, je le dis. . . et j'ajoute: s'il y a autre chose, je ferai mon possible encore. Et au bureau, nous trouvons très important et très agréable quand les gens passent nous dire bonjour. C'est pour cela que nous sommes au centre du comté, dans un endroit peu luxueux, mais accessible. À ceux qui me disent: "On s'excuse de te déranger. . .", je réponds qu'on ne me dérange pas, que je suis là pour ça.

— Quand vous êtes à Québec, vous êtes très occupée comme députée et comme whip adjointe, alors, vous perdez un peu contact avec votre comté?

— Que pensez-vous que je fais durant les

heures de dîner ou de souper? Je prends un repas, bien sûr, mais il y a le téléphone, et toujours une longue liste d'appels que je fais dans la veillée, souvent.

— *Comment avez-vous vécu la première rentrée, à Québec?*

— Oh! la rentrée, c'est dur. J'avoue. J'imaginais — j'étais un peu innocente! — qu'on avait quelqu'un pour nous guider les premiers temps. Mais ce n'est pas cela. On a une secrétaire qui dit: "Vous avez une réunion à tel endroit", etc. Il faut aussi faire connaissance avec cette personne qui nous aide beaucoup: elle sait ce qu'on a le droit de faire, ce qu'on ne peut pas faire. . .

— *Et le contact avec les collègues?*

— Cela se fait graduellement. Les habitués ont déjà des postes, ils sont très occupés. Ils ne nous voient pas ou à peu près pas. . . Je me sentais bien petite et je me demandais ce que je faisais là. . . Mais je me suis ressaisie: Minute là! C'est à moi à bouger, à y aller, à me lever. Par exemple le Salon bleu. C'est très impressionnant. Je m'étais déjà assise; pour m'amuser, au banc de ma patronne, en ne pensant jamais qu'un jour je serais là, avec mon nom gravé sur le pupitre. Tu te parles beaucoup à toi-même les premiers jours.

Par la suite, j'ai fait connaissance avec les collègues qui viennent de tous les coins du Québec. Cela a été facile: je suis incapable d'être seule, alors je demandais aux autres où ils allaient dîner. On a fini par former un groupe. On s'entend bien. On échange beaucoup, c'est important. Il y a des gens formidables qui viennent de très loin, dans ce Québec qu'on connaît mal quand on est montréalaise comme moi. On a découvert qu'on se posait les mêmes questions. On s'entraide.

— *Avez-vous senti de la réticence parce que vous êtes une femme?*

— Je savais que j'entrais dans un monde d'hommes. Mais je veux faire mon chemin. C'était à moi de ne rien bousculer: être correcte, être aimable avec tout le monde. Pas plus, pas moins. Pas question de réagir sur des peccadilles qui les agacent et les font nous rejeter. Je veux l'égalité des droits, des chances. Mais je ne veux pas l'affrontement. Quand on est acceptée dans un groupe d'hommes, on peut passer des messages qui, au bout d'un certain temps, changent leur façon de parler, de penser. Je n'arrive jamais à pieds joints dans quelque chose. Je n'aime pas non plus faire la morale.

— *Il y a pourtant beaucoup de chemin à*

faire?

— Oui. Cela va être long. Mais les femmes sont persévérantes. Elles ne lâcheront pas comme ça. On est huit, il faut continuer.

— *Une femme peut-elle changer la manière de faire de la politique?*

— Oui, probablement. Au niveau de mon comté, cela n'a pas posé de problème. Personne n'a dit quoi que ce soit. Les gens âgés de mon comté pensent qu'il faut avoir beaucoup d'assurance pour aller en politique. Ils savent que ce n'est pas facile. Ils en ont vu d'autres, eux! Et il y avait eu madame Payette.

— *C'est intéressant que les personnes âgées voient d'un bon oeil l'engagement d'une femme en politique. . .*

— Elles savent qu'on va continuer à jouer nos rôles en dehors, que tout va se faire. Elles savent que, lorsqu'une femme prend plusieurs responsabilités, même petites, elle va se donner à cent pour cent. Ils l'ont fait: les vieux se sont donnés à leur famille. Les temps ont changé, nous on fait autre chose. Mais ils sont très ouverts. C'est accepté, c'est réglé. D'ailleurs dans mon comté, il y a deux femmes qui sont conseillères municipales.

— Est-ce qu'un gouvernement majoritairement féminin ferait des lois différentes?

— Je suis certaine que oui. Notre approche est tout à fait différente de celle des hommes. Actuellement, nous sommes peu nombreuses mais nous disons ce que nous pensons et notre point de vue est différent. Alors, j'imagine que les politiques seraient plus sociales. Si on était plus nombreuses à l'Assemblée nationale, il y aurait aussi plus de femmes à des postes-clés comme ministres ou sous-ministres. Les décisions en seraient changées.

— *Pensez-vous que cela va arriver?*

— Que nous soyons autant de députées que de députés? Je ne sais pas. Il ne faut pas se fier aux hommes pour encourager les femmes à aller en politique. Il faut que les femmes encouragent les femmes. À ceux ou celles qui croient que cela prend de longues études académiques je dis: ce n'est pas vrai. Il faut le goût et la volonté de changer des choses. Quand on a cela, pourquoi pas? Il y a des cultivateurs qui ont fait de fameux députés. Ils n'avaient pas nécessairement de diplômes. . . Il s'agit de faire le pas.

— *Qu'est-ce qui a changé dans votre vie*

depuis quelques années?

— Je suis très contente de ne plus être la même femme qu'il y a six ou sept ans.

— Vous êtes passée du travail de mère de famille à celui de députée très rapidement.

— J'ai dû travailler très fort. Le plus difficile étant d'apprendre à sortir de la maison, d'accepter de voir moins les enfants, la famille. Mais tout le monde a fait sa part. Ils ont accepté. C'est ennuyant de savoir que je vais à Québec, que je dormirai à l'hôtel. Mais ce sont des concessions qu'il faut faire, sans se sentir coupable d'abandon pour autant. Je me dis: je reviens dans trois jours. Tout fonctionnera bien. Je crois qu'une femme peut faire cela. Si j'étais députée à Québec, il n'y aurait pas de problèmes, je rentrerais chez nous tous les jours. . . Enfin ce n'est pas le cas. Et c'est sûrement difficile aussi pour ma famille, je le sens, mais je n'en entends pas trop parler.

— *Qu'est-ce que cela apporte alors?*

— J'apprends tous les jours. J'évolue. Je n'en reviens pas parfois de savoir par exemple tant de choses sur la fiscalité ou le discours du budget. Avant, un peu comme tout le monde, j'écoutais cela d'une oreille plus ou moins distraite. Mais maintenant, il faut que j'explique, que je réponde aux questions, alors je cherche à tout comprendre.

Mais ce que j'ai peut-être acquis, et qui m'est le plus cher, c'est d'avoir autour de moi beaucoup de gens qui m'aiment — il y en a qui ne m'aiment pas, probablement — de sentir que des gens me font confiance. Ils viennent me voir: "J'ai un problème important. . ." C'est grave. Ils sont inquiets et c'est peut-être moi qui vais régler leur problème: vous avez été victime d'une erreur, ou d'une injustice, vous aviez raison. Votre problème est réglé. Je fais un heureux quand je peux dire cela. J'en ai une grande satisfaction. C'est vrai qu'il y a des choses qu'on fait dont on ne voit pas forcément le résultat. Par exemple des jeunes qui disent: "Je veux bien me chercher du travail mais je n'ai pas de billet d'autobus. . ." On aide, on donne des conseils. C'est un peu un rôle de travailleur social. Et c'est pourquoi je rentre chez moi en pensant à l'un ou à l'autre. On croît que, être député, c'est paraître sur des photos. . . Il y a un travail beaucoup plus à l'ombre, plus quotidien, plus essentiel. Je me rends compte aussi que les gens se parlent: "Allez donc la voir, elle va s'occuper de vous." C'est aussi un aspect gratifiant: être utile.

Enfin, il y a ces lois sur lesquelles nous travaillons à Québec. Certaines, comme celle sur les rentes, touchent les gens de mon comté. Je m'empresse de leur dire: un communiqué, une rencontre.

Je privilégie toujours les contacts humains: j'aime rencontrer les gens en tête-à-tête. Parfois on règle le problème en deux minutes, mais on continue à jaser, on prend le temps.

— Et il faut pouvoir penser à plusieurs détails à la fois, qualité bien féminine!

— C'est vrai. Il faut se rappeler les gens, ce qu'ils ont dit. D'ailleurs, je leur demande de m'aborder eux-mêmes dans la rue ou à l'épicerie: il se peut que je ne vous voie pas, mais vous, si vous me reconnaissez, venez me dire bonjour. Je crois que c'est ainsi qu'il faut établir et maintenir les contacts.

— Vous savez que les jeunes se désintéressent de la politique. Pensez-vous qu'en vous entendant ils diraient encore: il n'y a

rien à faire là?

— Je sais que les jeunes ne sont pas très intéressés à ce qui se fait en politique. Ils veulent du travail. Ma fille par exemple va retourner à l'école parce que, pour le moment, il n'y a pas d'issue. Mais c'est à nous de changer des choses. . . de transmettre les besoins de la population aux responsables des décisions. On est le premier palier qui reçoit les inquiétudes de la population. Quand je promets que je ferai le message à qui de droit, je le fais, le message se rend toujours. Les résultats ne sont pas garantis. Il faut parfois "piocher" longtemps, être "achalante", faire pression. Les gens font pression sur nous pour que nous fassions pression sur les dirigeants. Mais c'est ainsi, il faut persévérer."

Thérèse Lavoie-Roux

députée de l'Acadie

"On pourrait penser que la misogynie est une question de génération, d'âge. C'est faux. Cela n'a rien à voir avec l'âge de nos collègues, ni avec l'allégeance politique."

Thérèse Lavoie-Roux est née à Rivière-du-Loup, en 1928. Bachelière ès arts, elle détient une maîtrise en service social de l'Université de Montréal.

Elle exerce d'abord sa profession au Montreal Children's Hospital de 1951 à 1960, tout en y étant professeur-thérapeute. Elle enseigne ensuite à l'Université de Montréal et à l'Institut Marguerite-d'Youville.

C'est en 1969 qu'elle devient commissaire et vice-présidente de la Commission des écoles catholiques de Montréal. De 1970 à 1976, elle est présidente de la C.É.C.M. pendant ces années, elle est également vice-présidente du Conseil scolaire de l'île de Montréal.

En 1976, puis en 1981, elle est élue députée de la circonscription de l'Acadie.

Madame Lavoie-Roux est le sérieux même, la tranquilité du geste et du regard, sans froideur. Bien au contraire, une certaine sérénité.

Si elle aime raconter des épisodes d'une carrière lourde de responsabilités, elle le fait avec mesure, avec discernement, avec le recul qui est le privilège de ceux et celles qui ont une partie de leur vie derrière eux.

S'entretenir avec Thérèse Lavoie-Roux, c'est recevoir des réponses claires, directes, fruits du raisonnement et de la réflexion.

Thérèse Lavoie-Roux

"Madame Lavoie-Roux, est-ce que la politique est un bastion pour hommes seulement?

— C'est définitivement ce qu'on pourrait appeler un bastion. Mais il ne s'agit pas d'une question de génération. La misogynie qu'on rencontre dans les milieux politiques n'a rien à voir avec l'âge de nos collègues, ni l'allégeance politique: des députés qui ont la cinquantaine ou plus sont parfois bien plus ouverts que leurs jeunes collègues de 29 ou 35 ans! Peut-être que cela deviendra un jour une question d'âge. . . Mais en tout cas, pas de parti politique. Par exemple, voyez en Saskatchewan le gouvernement N.P.D. de monsieur Blackeney. On associe toujours à ce parti l'idée de mentalité progressiste, eh bien, il n'y a aucune femme élue députée!

— Est-ce si difficile, pour une femme, de

faire de la politique?

— Cela dépend à quel niveau. Car les femmes ne voient pas leur avenir comme les hommes voient le leur. Même les femmes de la jeune génération: leurs intérêts sont différents, leurs rôles, en dépit de tous les discours, sont encore différents. Ce n'est pas nécessairement le summum du succès ou de la performance, pour une femme, que de devenir députée ou ministre. Alors que chez les hommes, à l'université, autrefois en droit et aujourd'hui je suppose en sciences politiques, l'objectif de devenir député, ministre ou même Premier ministre grandit avec eux.

Une femme se voit davantage réussir sa vie en fonction d'un monde différent, plus petit peut-être. Elle veut s'affirmer au plan professionnel. . .

— Pourquoi, aujourd'hui, la politique n'attirerait-elle pas les femmes contemporai-

nes étant donné leur détermination à se trouver une place dans la société?

— Je pense que les règles du jeu de la politique sont très dures. Souvent, elles ne sont pas très droites. Je ne veux pas dire que le monde politique est malhonnête, mais disons que le cheminement y est plus tortueux, plus calculateur que ne le connaissent habituellement les femmes. Ces carrières politiques se préparent d'avance. Pour les femmes plus âgées actuellement députées à Québec ou à Ottawa, on peut parler d'accident de parcours. Et même chez les plus jeunes. Je serais étonnée qu'elles aient, au départ, aspiré à devenir députées, ce qui est le cas, je pense, d'un grand nombre de nos collègues masculins.

— Et vous, quand avez-vous commencé à faire de la politique?

— En 1976.

— C'était votre élection comme députée, mais avant?

— Je n'ai jamais fait de politique partisane avant 1976. J'en avais si peu fait que, lorsqu'on a annoncé ma candidature, cela s'est fait très rapidement, les journalistes se demandaient pour quel parti je me présentais. Le poste que j'occupais à la C.É.C.M. devait être absolument apolitique. . . dans le sens de la partisanerie. Pas question de soumettre l'éducation aux aléas d'une politique partisane. Sinon, les décisions de la C.É.C.M. auraient été, sous mon mandat, conditionnées par des calculs électoralistes. Moi, je n'admettais pas cela. Donc, je n'ai commencé à faire de la politique qu'en 1976. Quoique. . . je dois vous dire que, lorsque j'avais 12 ou 13 ans, je m'intéressais aux élections, aux résultats.

Je savais qui étaient les députés de presque tous les comtés du Québec. Probablement parce que ma mère s'y intéressait beaucoup. Mais je n'ai jamais pensé à une carrière politique.

Ce qui s'est passé en 76 découlait sans aucun doute de ce que j'avais fait précédemment: des responsabilités aux tâches administratives comme présidente de la C.É.C.M., j'avais acquis une certaine expérience qu'on est venu chercher.

— Mais votre rôle à la C.É.C.M. était forcément politique?

— Je distingue très nettement l'attitude de partisanerie politique et les décisions qui sont politiques. Tout peut être politique. Ainsi, par exemple, avec l'appui des fonctionnaires et collègues qui m'entouraient, j'avais mis de l'avant une action en milieu défavorisé. J'ai donc influencé la politique de la C.É.C.M. à accorder une importance particulière à ce domaine. Même chose avec l'enfance exceptionnelle. Autre exemple, en ce qui concerne la langue d'enseignement, ma position n'avait pas le sens: est-ce que cela va appuyer la politique de tel ou tel parti? Je me disais seulement qu'il y avait une intégration massive des immigrants non francophones et non anglophones aux écoles anglaises et que cela créait un déséquilibre démographique. Et à ce moment-là, je me suis prononcée pour l'intégration des immigrants non francophones et non anglophones de l'école française. Et non pas pour l'intégration des anglophones à l'école française! Dans ce cas-là, c'était une position politique qui pouvait faire l'affaire de la politique suivante du Parti québécois et qui a créé des problèmes au Parti libéral. Mais j'avais agi en fonction de mes principes, des choses auxquelles je croyais.

Thérèse Lavoie-Roux

— Si on parle d'"engagement" en politique, on peut dire que votre engagement était dans la cause sociale, la cause scolaire.

— Il est évident que dans la vie, chacun des gestes que l'on pose nous amène à des décisions qui ont ce type de conséquences. Mais je n'ai rien planifié de tout cela. Je n'ai appartenu au Parti libéral que trois semaines avant l'élection. J'ai toujours voté. Je n'ai jamais été indépendantiste. Je n'ai jamais été pour l'Union nationale: j'ai vécu la dernière période de Duplessis. Il y avait donc le Parti libéral. Et, de philosophie, je suis une personne libérale: m'importent le respect des gens, le sens de la liberté, l'initiative, la créativité. . .

— Comment s'est passée votre campagne électorale?

— J'avais déjà été élue au suffrage universel comme commissaire à la C.É.C.M. Et j'avais été élue présidente par mes collègues. J'étais donc passée devant la population. Mais il n'y a aucune mesure entre les élections scolaires et les élections provinciales. Les premières gagneraient à être mieux organisées. En passant, je vous rappelle que la loi n'autorisait que la présence des hommes à la C.É.C.M., jusqu'en 1969. Cela ne date pas de quarante ans! En 1973, six femmes ont été élues. . .

Pour revenir à ma campagne de 1976, je peux vous dire que j'avais des préjugés contre les machine électorales. On m'avait dit qu'il y avait une organisation de comté: "On va s'occuper de vous. . ." De même, je n'étais pas familière avec ce qu'impliquait la vie d'un parti politique. Une fois élue, j'ignorais totalement ce que le rôle de députée signifiait comme mobilisation d'énergie et de travail.

Thérèse Lavoie-Roux

— *Comment étiez-vous perçue comme candidate pendant la campagne électorale?*

— Tout d'abord, je n'avais pas de difficulté à m'adresser aux gens, en groupe ou individuellement: j'en avais l'habitude. En 1976, le comté de l'Acadie était déjà représenté par une femme à Ottawa: Jeanne Sauvé. Alors, les gens disaient: on va avoir deux femmes. De plus, j'étais connue à Montréal. Le début des années 70 avait été très actif au point de vue scolaire. Il y avait cinq candidats dans le comté dont quatre femmes. Je ne crois pas que cela soit représentatif de l'ensemble des comtés!

— *Il n'y a pas eu de lutte "homme-femme" entre les candidats parce qu'il n'y avait que des femmes!*

— Peut-être. Mais je suis convaincue qu'il n'y aurait pas eu de lutte non plus si mes adversaires avaient été des hommes. Il faut bien dire que la mentalité de la population, à cet égard, a beaucoup évolué. Elle a peut-être plus évolué dans la population qu'à l'intérieur des partis. . . parce que, à l'intérieur des partis, chacun convoite sa part, son champ d'action, la place la plus haute possible. Là comme ailleurs, il y a des rivalités. Mais dans la population d'un comté — je ne sais pas si on doit faire une différence entre un comté rural et un comté urbain — j'ai l'impression que ce ne sont pas les gens qui disent: on n'élira pas une femme-députée. Je crois que les difficultés sont bien plus grandes pendant les étapes à l'intérieur du parti.

— Et maintenant, à l'Assemblée nationale, comment vous sentez-vous?

— Ce n'est pas ma première expérience de travail avec une majorité masculine. Je suis arrivée comme seule femme à l'opposition. Cela m'a permis d'aiguillonner le nouveau gouvernement sur la condition féminine. Je me rappelle du débat du vendredi. C'était la première fois que cela se faisait. J'avais demandé quelles suites on allait donner au rapport "Égalité et Indépendance"... S'il n'y avait pas eu de femmes dans l'opposition, même une seule, il n'y aurait pas eu cette préoccupation. Il faut de la vigilance dans le sens de la présence: que quelqu'un rappelle que les femmes ne doivent pas être oubliées. En ce sens, le fait d'être huit à l'Assemblée nationale, à l'intérieur du gouvernement et dans l'opposition, peut agacer certains de nos collègues masculins. Nous leur rappelons constamment leurs attitudes conventionnelles à l'intérieur même de nos travaux: les caucus, les commissions parlementaires...

— Selon vous, les femmes en politique tra-

vaillent-elles ou doivent-elles travailler plus fort que les hommes?

— Il faut savoir "fonctionner". Si vous êtes très faible, on va être gentil avec vous parce qu'on est poli avec les femmes, mais vous allez être mise de côté. Il ne faut pas indiquer qu'on est une personne chancelante sur les opinions qu'on défend. Il faut avoir une présence substantielle. Quant à la quantité de travail, ce ne sont pas seulement les hommes qui obligent à cet effort, beaucoup de femmes croient qu'elles doivent travailler plus, pour se prouver quelque chose à elles-mêmes. C'est une question d'attitude et d'assurance.

— Est-ce vrai que les femmes "héritent" des dossiers moins importants?

— On m'a confié les dossiers de l'Éducation et des Affaires sociales. Mes collègues respectaient mon point de vue. J'ai également fait le débat de la Loi 101. Je n'ai eu aucun problème de crédibilité. Il est vrai qu'avec les personnes jeunes, on court plus le risque de confier un dossier à un homme. . . Tant qu'on ne donne pas aux femmes le moyen de se mesurer à des dossiers, à des décisions importantes, on perpétue la discrimination.

— *Les femmes sont-elles plus sensibles au doute?*

— Quand on sait qu'un tas de réactions agressives sont liées à l'insécurité des gens, on peut en déduire que les hommes ont leur propre seuil d'insécurité et connaissent aussi le doute. Mais, en général, l'attitude des femmes est d'essayer d'être plus convaincantes par le contenu de leur discours que par la forme. Est-ce qu'avec le temps et l'habitude les femmes changeront. . .

Car nous avons le sens des nuances. La vie familiale, entre mari et enfants, nous a appris à ne pas trancher de façon absolue. Dans la société, les femmes sont souvent appelées à jouer un rôle de conciliateur. Et là, dans ce rôle, il n'y a pas de noir ni de blanc. Il y a des questions à poser, parfois des réponses, mais pas toujours. C'est dans ce sens-là que les femmes font le débat politique.

— *Est-ce qu'elles exercent le même pouvoir?*

— Je pense à madame Tatcher, la dame de fer. Est-ce qu'elle exerce son pouvoir de la même manière qu'un Premier ministre homme? Je ne peux répondre à cela. Mais je demeure convaincue que, jusqu'à présent, les femmes ne veulent pas avoir le pouvoir pour le pouvoir. Il n'y a pas de principes écrits sur la vie politique, mais je crois que nous n'avons pas le même code d'éthique. Je ne parle pas du point de vue de l'honnêteté. La majorité des politiciens sont des hommes très intègres en dépit de ce que l'on raconte. Mais il reste qu'ils sont plus habitués aux jeux politiques. Les compromis pour des fins électorales leur sont plus faciles qu'aux femmes. Est-ce que le comportement des femmes se modifiera à la longue, je l'ignore. Est-ce que les femmes, de plus en plus nombreuses j'espère, feront changer l'exercise du pouvoir? On verra bien.

— Madame Lavoie-Roux, vous savez que les jeunes aspirent à un style de vie relativement traditionnel. En tout cas, les jeunes filles d'aujourd'hui veulent avoir des enfants. Comment peuvent-elles aussi s'engager dans la politique?

— Il est vrai qu'il faut mener de front la vie familiale et la vie professionnelle. Mais cela ne se passera pas seulement si une jeune femme devient députée ou ministre. Elle devra affronter ce problème dans n'importe quelle carrière. Reste que le monde politique est parfois fermé sur soi. On se coupe de la vie sociale, de la fréquentation des amis. Cela manque dans une vie. Par contre, en politique, il y a un engagement extraordinaire et très motivant: on est la voix de ceux qui sont éloignés du pouvoir, on ressent l'utilité de son rôle dans la société, on devient très conscient du milieu dans lequel on vit, on se situe dans le temps, dans l'histoire d'un pays, on est un maillon de la chaîne. . . Sur le plan humain, on évolue dans un domaine fondé sur les relations entre les gens, on observe ou on participe aux jeux des forces dans la société, on rencontre des personnes extraordinaires. . . Oui, je dirais aux femmes de se lancer en politique. La société a besoin d'elles, de leur expérience, de leur dynamisme, de leur goût du risque, de leur motivation. Je suis entrée en politique pour défendre mes idées et celles de mon parti, mais, comme femme, je me sens une responsabilité à l'endroit des femmes que je représente. Et c'est cette responsabilité que je veux aussi partager, avec d'autres femmes. Il y a du travail à faire."

Denise Leblanc-Bantey
députée des Îles-de-la-Madeleine

"Je pense qu'une femme en situation de pouvoir est toujours une funambule. . . parce qu'elle a certainement une façon différente d'analyser les problèmes. Donc, elle peut arriver à des solutions autres que les solutions traditionnelles."

Denise Leblanc-Bantey est née le quinze décembre 1949, à l'Étang-du-Nord, aux Îles-de-la-Madeleine. Elle a fait des études en lettres à l'Université Laval de Québec et à l'Université de Montréal.

Puis, Denise Leblanc-Bantey a été professeur à la Commission scolaire des Îles ainsi qu'au CEGEP de la Gaspésie. En même temps, elle était directrice en chef du journal *Le Radar*. Elle a été élue députée du Parti Québécois aux Îles-de-la-Madeleine en 1976 puis en 1981, puis membre de l'exécutif national du Parti en 1977. Adjointe parlementaire du ministre de l'Industrie et du Commerce et par la suite du

Denise Leblanc-Bantey

ministre de l'Agriculture, des Pêcheries. Depuis le 30 avril 1981, Denise Leblanc-Bantey, députée est ministre de la Fonction publique.

Un nom qui, pour moi, est toujours associé avec les îles d'où elle vient: Denise Leblanc-Bantey, députée des Îles-de-la-Madeleine et depuis 1981, ministre de la Fonction publique. Je l'ai rencontrée à Québec, dans son bureau, entre deux voyages ou aux Îles. . . Nous avons commencé notre conversation en parlant de sa fille, des problèmes de garderie, de temps disponible, d'argent. Denise Leblanc-Bantey est de cette nouvelle génération de femmes qui assument tous les aspects de leur vie: lourdes responsabilités professionnelles, quotidien familial, éloignement de sa région d'origine et de son comté. Comme elle le dira dans l'entrevue: on en perd parfois le sommeil, mais il faut apprendre aussi ses limites humaines. Et c'est vrai que le travail de ministre est parfois écrasant.

"Je suis devenue ministre de la Fonction publique dans une période de crise économique et de négociations avec les fonctionnaires. Il a fallu demander des sacrifices aux syndicats, poser des gestes par la suite. . . C'était assez exceptionnel comme contexte. Et quand tu te sens au-dessus de la pyramide, comme ministre, même si tu es entourée des meilleurs conseillers du monde, au bout du compte, la décision, c'est toi qui dois la prendre. Ces décisions concernent au minimum soixante mille personnes, les employés de la fonction publique, et elles ont des répercussions sur beaucoup d'autres. . . c'est la différence entre être députée et être ministre.

La pression est plus forte. Car les décisions affectent beaucoup d'individus. Alors que comme députée, on n'est pas entièrement responsable du sort de ses électeurs: on négocie avec un collègue, avec des ministres et on peut se dire qu'en conscience on a fait ce qu'on a pu, le gouvernement ou son collègue n'ont pas voulu. . . Cependant, venant d'une région rurale où les gens me connaissent personnellement, où je les connais aussi, je peux adhérer personnellement à leurs problèmes et je ne peux prétendre regarder les choses objectivement. Je connais les personnes, je connais leurs racines, je sais leurs problèmes familiaux. . . il y a peut-être des gens qui y arriveraient, mais moi je n'arrive pas à me dissocier d'eux. Il y a donc dans le comté un travail à faire qui consiste à acheminer vers le gouvernement des problèmes individuels qu'on ne peut régler autrement, mais il y a aussi des dossiers régionaux qui ont beaucoup d'importance. Seulement, dans ces dossiers, je ne suis pas, comme députée, la personne qui prend la décision. Je n'ai pas à trancher. J'ai à véhiculer les objectifs et les volontés des groupes de mon comté, même si je ne suis pas d'accord — et je le leur dis — mais une fois ce travail fait, cela repose entre les mains de quelqu'un d'autre.

— Alors que, comme ministre, les décisions vous sont toutes attribuées et vous en portez le poids. Comment peut-on accepter cela, humainement?

— C'est une question d'entraînement et de philosophie. Entraînement parce qu'on apprend à prendre des décisions, à trancher. Philosophie parce qu'il faut en arriver à se dire: j'ai fait tout ce qui était humainement possible. En conscience, je suis satisfaite de moi-même. Advienne que pourra, je me couche et je dors! Je ne pouvais pas faire mieux ou plus. Au début, quand j'ai été nommée, j'ai eu une drôle de réaction: je faisais beaucoup d'insomnie. Sans aucun doute je continuais, une fois chez moi, à vivre le problème, à me dire que si je ne réussissais pas c'était de ma faute, que j'aurais pu faire autrement. . . Mais j'ai acquis une capacité, très fragile parce qu'on se remet toujours en question, de me dire que j'ai agi au meilleur de moi-même au moment où j'ai agi. On a droit à ses erreurs, à ses fatigues, à ses faiblesses, à ses manques de jugement comme n'importe quel autre être humain dans la société. L'important étant de ne pas en faire trop et de ne pas pénaliser profondément des gens par ses décisions. Quand on tente, chaque fois, d'assumer l'aspect affectif de ces décisions, parce que c'est normal, parce qu'on n'est pas fait de bois et de fer, et quand on tente de les réconcilier avec sa conscience, on ne se trompe pas souvent. On peut manquer son coup, on peut ne pas réussir à convaincre la personne à laquelle est destiné le travail, mais on ne peut pas se tromper. Il ne s'agit pas d'analyser les problèmes de façon théorique. . .

— Oui, ce raisonnement fonctionne pour votre sommeil et votre conscience. Mais il y a des gens qui attendent peut-être autre chose d'un dossier ou de son aboutissement. Vous avez donc à répondre devant vos collègues et devant la société de ce chemin que vous empruntez. Cela aussi c'est de la pression. . .

— Je pense qu'une femme en situation de pouvoir est toujours une funambule. . . parce qu'elle a certainement une façon différente d'analyser les problèmes. Donc elle peut arriver à des solutions autres que les solutions traditionnelles. La question n'est pas de savoir qui est responsable, qui ne l'est pas, disons que cela est dû à notre culture, à notre environnement, à nos objectifs de femme, aux valeurs surtout que les femmes assument et véhiculent. Comme les femmes ne sont pas ambitieuses quand elles sont en politique, qu'elles y sont surtout pour atteindre des objectifs, c'est évident qu'elles ont des façons différentes d'analyser les problèmes. La principale raison est que les femmes n'ont pas peur d'assumer leurs réactions affectives face à un problème. Elles ne se réfugient pas derrière des théories, des concepts. Les hommes font cela. J'allais dire parce que c'est plus rassurant. . . ce serait injuste. Ils se sont plutôt habitués à tout intellectualiser et à refuser d'"affectiver" leurs problèmes. Alors que nous, si nous voyons une solution objective, nous nous demandons quelles seraient les réactions des personnes concernées. Et notre solution n'est plus aussi bonne. En fonction de cela, nous cherchons d'autres éléments de réponse qui vont nous réconcilier avec l'affection que nous portons, par rapport aux sujets concernés. Je ne dis pas que les hommes ne font jamais ce raisonnement. Je dis qu'ils sont plus gênés de chercher d'autres réponses à partir d'un argument comme celui-là. Nous apparaissons donc moins rigides, à contre-courant dans nos argumentations, voire moins solides. . . Et, cela est mon problème que j'admets bien simplement, nous ne parvenons pas toujours à articuler intellectuellement ce que nous ressentons. Car nous n'en avons pas l'habitude. Nous n'avons pas eu souvent la parole, c'est un entraînement à faire. Quand on discutait de politique, chez nous, les femmes étaient dans la cuisine et les hommes au salon. Donc nous n'arrivons pas à classifier les éléments d'un problème et à les articuler très froidement. Nous sommes encore affectives — et c'est ma fierté après sept ans — je reste encore émotive par rapport à mes problèmes et je l'assume.

Les hommes sont très émotifs. Je l'ai vu pendant les négociations. Dans une certaine mesure je dirais plus que nous. . .

Ils le sont d'autant plus qu'ils ne l'assument pas. Comme ils ne l'admettent pas, ils pensent qu'ils ne le sont pas.

— *Ils se servent de quoi pour cacher ces réactions émotives?*

— Oh! Cela devient de la virilité: s'en tenir strictement à son dossier. . . Par ailleurs, je connais des collègues qui ont fait un cheminement fantastique depuis sept ans. Même si nous ne sommes que peu de femmes, nous les avons influencés. Ils sont capables d'admettre qu'on ne peut pas ne pas être émotif. On n'est pas des machines, on n'est pas des robots. . . Dans le débat des négociations, j'en ai vu assumer cela et je les respectais d'autant plus. Car les négociations créent des périodes de tension et de fatigue tellement grandes que plus personne ne peut se cacher. Il faut que le naturel se montre. Il y a donc des hommes et des femmes qui sont plus ou moins à l'aise s'ils ont à assumer ces aspects-là d'un travail. Bien que dans l'exemple dont je vous parle, il n'y avait que très peu de femmes autant du côté patronal que du côté syndical. C'est certainement encore une chasse gardée assez forte pour les hommes.

— Vous avez fait une déclaration qui a été reprise dans les journaux, à l'époque?

— Ce que j'ai dit n'a rien changé mais je voulais le dire: à savoir que le monde des négociations était devenu un monde d'initiés. J'englobais autant les hommes que les femmes. Il fallait être spécialiste. Et, si on n'est pas un initié, on dérange. C'est sûr que je l'ai dit comme femme. D'abord comme non-initiée je me sentais dérangeante mais d'autant plus que j'étais une femme.

— *Un homme, non-initié comme vous dites, qui aurait eu le même raisonnement que vous, qu'aurait-il fait?*

— Il ne l'aurait pas dit, parce qu'il se serait senti humilité d'être, sinon écarté, du moins peu admis par les équipes qui ne le reconnaissaient pas comme un des leurs. Les hommes ont donc généralement tendance à prétendre qu'ils comprennent tout, qu'il n'y a pas de problème. À ce niveau, les femmes sont privilégiées. La société n'exige pas de nous que nous soyons les plus fortes, les meilleures. Dès que nous arrivons à un certain statut, nous en sommes valorisées: est-elle intelligente comme femme! Alors qu'on demande aux hommes d'être les premiers partout. Donc un homme qui admettrait que quelque chose a pu le dépasser, ou le blesser, ou l'affecter, pourrait sortir diminué aux yeux de ses collègues, aux yeux de la société. C'est en ce sens que je n'ai peut-être pas beaucoup de mérite à parler, comme femme, parce que je n'ai pas calculé tout cela. J'ai dit ce que je pensais. Et pour peu qu'on me connaisse, on sait que, lorsque j'ai quelque chose à dire, je le dis. Je ne le dis peut-être pas toujours au moment où je devrais le dire mais quand je trouve l'occasion, je le dis.

— *Avez-vous appris à être prudente?*

— Non. J'ai appris, pour ma propre survie et pour protéger mes énergies, à doser mes interventions, à tenter d'assumer avant de parler. J'ai appris à séparer les éléments, à attendre un peu. C'est de la maturité, en politique ou ailleurs. Mais je suis aussi très impulsive. Alors, c'est aussi une question de tempérament et je ne parviens pas toujours à respecter les objectifs que je me donne!

— *Mais en politique, on reçoit des coups?*

Denise Leblanc-Bantey

— Après sept ans, cela fait toujours très mal. La seule chose qui me rassure, c'est que je pense que cela fait et fera toujours mal à tout le monde. Je regarde mes collègues aller. . . Certains ont l'air plus stoïques, plus forts, apparemment. . . Mais je m'aperçois qu'en politique, à moins d'être sans fond, sans racines, sans idéal, ou à moins d'être un ou une carriériste qui accepte d'avance tous les coups, cela continue de faire mal. On ne se carapace même pas. On apprend à se masquer mieux afin, apparemment, d'être moins vulnérable. . . mais après toutes ces années, je dois dire qu'il est très facile de m'atteindre. C'est bon de ne pas s'habituer. Car on ne peut pas tout pardonner à la politique. Il y a des gens qui croient que parce qu'on est en politique il faut tout accepter. Ce serait très malsain. Avec une telle attitude, il n'y aurait un jour que des cyniques en politique, parce qu'eux seuls seraient capables de résister. . .

Non. Il ne faut pas s'habituer aux vacheries. Il faut seulement être capable de prendre les critiques et les attaques loyales. J'essaie de le faire, tant bien que mal, comme d'autres. Cela fait partie de notre métier, de nos responsabilités. Mais il n'est pas vrai qu'on est obligé de tout prendre parce qu'on a accepté de faire de la politique. Parfois les citoyens s'attendent à ce qu'on prête le flanc à toutes les critiques pour le bon plaisir de ceux qui les font. J'avoue que, jusqu'à maintenant, je n'ai pas été trop malchanceuse. J'ai été relativement bien traitée par tout le monde.

— Que pensez-vous de la perfection qu'on attend des gens qu'on élit?

— On oublie très souvent que les gens qu'on élit sont à l'image de soi-même. C'est cela, la démocratie. On élit quelqu'un qui nous ressemble. Si les Madelinots m'ont élue deux fois, c'est que, d'une manière ou d'une autre, ils se reconnaissent en moi. Donc, je suis comme eux: pas parfaite, parfois fatiguée donc moins souriante, moins diplomate, plus apte aux erreurs. . . Les Québécois ont peut-être tendance à voir leurs modèles politiques comme des surhommes ou des "superfemmes". Ils les élisent: débrouillez-vous, quand on ne sera pas content, on vous le dira, et fort! Si c'était ce genre de politiciens qui étaient au pouvoir, les Québécois ne se retrouveraient pas à travers eux. Cela n'existe pas Superman ou la femme bionique! On est parfois très exigeant, au Québec, envers nos politiciens.

— Vous êtes prisonniers en quelque sorte de cette attente?

— Oui. Et, à un moment donné, il arrive des événements comme celui de Claude Charron. Les politiciens, les uns après les autres, craquent. Claude a craqué à sa façon. Pour d'autres, c'est la maladie. D'autres ont été assez prudents pour démissionner à temps. Parfois on ne pardonne pas à Monsieur Lévesque d'être Premier ministre et d'avoir des sautes d'humeur. Si ce n'était pas cela, ce serait cynique. Je ne crois pas que les Québécois veuillent se faire représenter par des cyniques!

D'ailleurs, nos politiciens sont très différents de ceux des autres pays où l'on accepte une certaine distance entre les gens et leurs élus. Ici, avec le Parti québécois, les citoyens ont élu des gens très proches d'eux, ne faisant pas partie d'une élite — ni d'une aristocratie inaccessible. Ils les connaissent, ils peuvent les rencontrer personnellement. On a alimenté cela par les tournées, par la présence dans les régions, dans les comtés. Ce qui fait qu'il y a osmose entre les politiciens et la population du Québec. Cette accessibilité est exceptionnelle, et le revers de la médaille est que les faiblesses et les défauts des politiciens sont plus apparents. On ne peut pas se cacher! Mais tout cela aide à affiner notre jugement, comme électeurs et comme politiciens, à assumer publiquement ce que nous sommes. Je suis d'une génération assez tolérante, assez "délinquante", la génération des CEGEP, la première véritable génération au Québec, qui a "lâché son fou" de façon gratuite. Je ne me scandalise pas facilement... La force de l'être humain réside en sa capacité de s'introspecter et de placer son propre cheminement à travers un cheminement social et historique.

— Est-ce que les femmes peuvent se rapprocher de cette attitude que vous décrivez?

— J'en suis convaincue. Sauf que, tant que nous serons une poignée de femmes dans une mer d'hommes, il faudra beaucoup de patience et d'énergie. Ce n'est pas inutile car des influences se font sentir. . . Mais si, à l'Assemblée nationale, on était, ne serait-ce que vingt ou trente femmes, cela ferait toute la différence. Les changements qui sont déjà perceptibles ne sont pas le seul fait des femmes en politique mais aussi celui de l'action des femmes au Québec: les groupes de pression, la présence qu'elles affirment un peu partout. On s'habitue à vivre avec les femmes dans tous les milieux. C'est bien de se le rappeler car on a tendance à déprimer: on a l'impression qu'on n'avance pas vite. Il est parfois bon que d'autres viennent nous le dire: quand on ne sait pas ce qui se passe ailleurs, on ne peut pas apprécier ce qu'on a chez nous. Et pour moi, je trouve cela plus facile à vivre maintenant qu'il y a sept ans. Les batailles sont aussi ardues mais les mentalités sont moins obtuses. Il y a de plus en plus de bonne volonté. Bien des collègues manifestent une ouverture d'esprit qu'ils n'avaient pas avant en ce qui concerne la cause féminine. J'ai de l'espoir. Mais j'attends le jur où les femmes décideront massivement d'aller en politique, on ira beaucoup plus vite.

— Comment les Madelinots ont-ils élu une femme comme députée?

— En 1976, mon élection a causé une grande surprise au Québec. Je crois qu'on sous-estimait la mentalité des Madelinots. C'est vrai que les habitants des Îles sont majoritairement des pêcheurs et qu'un certain esprit traditionaliste pourrait les décrire. Mais c'est sans compter sur le phénomène touristique d'une part et surtout, d'autre part, sur les jeunes. En effet, ceux-ci, pour étudier, sortent des Îles-de-la-Madeleine. Ils vont au Nouveau-Brunswick mais surtout au Québec. Quand ils reeviennent, ils ont changé et ils ramènent avec eux les idées les moins conservatrices qu'ils ont rencontrées dans leur séjour à l'extérieur. Cela produit une circulation d'idées qui fait évolutr rapidement la mentalité. Et au Québec, cela a semblé tout à fait extraordinaire que monsieur Lacroix, mon prédécesseur, soit battu par une jeune fille! On avait tendance à voir les Îles comme un monde isolé et conservateur... Par ailleurs, c'est un peu une société marquée par le matriarcat que la société des Îles: les hommes partant continuellement de la maison pour travailler, les femmes étaient le centre non seulement du noyau familial, mais aussi du noyau social. Les femmes sont très fortes aux Îles, prennent beaucoup de place même si elles ne sont pas présentes dans les structures du pouvoir.

— *Est-ce que votre milieu familial a contribué à votre implication?*

— Nous étions une grosse famille. Et mon

père, qui est pêcheur, s'est toujours occupé de politique: il était organisateur politique. À tel point que cela avait un peu désabusé toute la famille. On en avait tellement entendu parler dans la maison que plus personne ne voulait suivre ses traces. Par ailleurs, j'ai quitté les Îles assez jeune, mais je revenais régulièrement durant mes études. J'ai toujours été très impliquée dans des mouvements sociaux. Bien sûr, il y avait Lacroix qui représentait les Îles à Québec et je trouvais cela inacceptable: d'une part parce qu'il n'était pas des Îles et d'autre part parce qu'il ne représentait pas les Madelinots sur la scène nationale. Je m'occupais du Parti québécois au niveau régional. À l'époque, on ne trouvait pas d'adversaire à Philippe Lacroix parce que personne ne croyait qu'on pouvait le battre. Je me suis lancée dans l'aventure en pensant qu'on pourrait faire un bout de chemin. Les événements ont voulu que je sois élue. Le lendemain j'ai dit: Mon Dieu, qu'est-ce que je fais? Et j'ai plongé là-dedans tête baissée et j'y suis encore. . . C'était le hasard: je ne voulais pas faire de politique active.

— *Les femmes ont-elles une certaine flexibilité face aux événements de leur vie et de ce qui les entoure?*

— Je crois que oui, parce qu'on calcule moins, on ne fait pas de plan de carrière. La société n'attend pas des femmes qu'elles montent l'escalier marche après marche. Je dis que c'est le hasard. . . j'ai aussi la certitude qui fait qu'il nous arrive des choses qui nous ressemblent. Je suis peut-être un peu superstitieuse, et cela est valable pour tout le monde, mais je pense qu'on a tous un destin dans la vie. Et si je suis devenue députée, cela devait m'arriver. J'avais peut-être certaines aptitudes que j'ignorais. Il a fallu que d'autres me fassent confiance, qu'ils me poussent. . . J'étais professeur et journaliste. On disait que j'étais une batailleuse, même si je n'étais pas très forte. Le physique comptait: mes adversaires se demandaient comment, "avec soixante livres et des roches dans les poches", je pouvais battre Louis-Philippe Lacroix. Il y avait une image de fragilité qui était véhiculée autour de moi mais d'un autre côté celle de quelqu'un qui n'avait pas peur d'aller jusqu'au bout et qui était une des leurs, qui venait d'un milieu pauvre, comme tout le monde. Je mettais, il est vrai, beaucoup de passion dans mes combats. La plupart des électeurs ne pensaient pas que je serais élue. . . et je me suis sentie beaucoup plus forte la deuxième fois. Cela fait sept ans qu'on est "mariés" tout le monde ensemble et le débat des Pêcheries prouve que les Madelinots me font encore confiance. On peut me reprocher bien des choses comme à tous les députés mais, chez nous, on croit à la sincérité de mes engagements. Ils savent qu'au fond de mon coeur, je suis une des leurs et que c'est d'abord leurs intérêts que je prends en considération quand je m'engage.

— *Vous êtes restée la fille de chez eux qui ne lâche pas?*

— Je pense que oui. Celle qui a le courage d'aller jusqu'au bout quand il le faut. Ce qu'ils ne savent pas, c'est leur présence dans bien des luttes que j'ai gagnées: des travailleurs d'usine me téléphonent et, sans s'en rendre compte, ils me donnent l'énergie de continuer la bagarre. Il y a toujours quelqu'un qui, intuitivement, sent qu'il est temps de me remonter: leur courage, leur ferveur m'alimentent et me disent que je ne travaille pas pour rien, qu'ils y tiennent, même quand ils y sacrifient leur salaire; ils y croient, eux. Cette osmose fait qu'on mène de vraies luttes, qui ne sont ni désincarnées, ni théoriques. . .

— *Que vous ont apporté ces années de politique?*

— Sur le plan personnel: énormément de maturité, de sensibilité à l'environnement. Cela fait vieillir beaucoup aussi. J'ai trente-trois ans et, même si je ne sais pas comment on se sent entre quarante-cinq et cinquante-cinq ans, j'ai l'impression d'être plutôt dans cette tranche d'âge que dans la mienne. Par contre, je me trouve privilégiée d'avoir vécu ce que j'ai vécu. . . J'ai peut-être connu en sept ans ce que d'autres prendront toute une vie à vivre. Généralement on arrive en politique avec un bagage d'expériences, de maturité, d'équilibre intellectuel et émotif. Je n'avais pas cela. Et si demain je n'étais plus députée ni ministre, je pense que je serais très heureuse. Je me promets bien, quand j'en sortirai, de reprendre le terrain perdu.

— *Qu'est-ce qui a manqué?*

— J'avais un tempérament plus artistique qu'autre chose. Le seul rêve que je voulais réaliser était d'écrire. J'étais entourée de musique, de cinéma, d'art. . . Cela m'a beaucoup manqué et me manque encore. Je n'arrive plus à me ressourcer, à me remettre en paix et en harmonie avec moi-même. Donc, si je n'étais plus députée ni ministre, je prendrais un long congé pour cela, me réconcilier avec mes anciennes amours, passer du temps avec mon mari, ma fille. Mais je ne veux pas planifier. Je veux vouloir choisir, le matin, en me levant, de faire ce que j'ai envie. En attendant, je suis dans ce que je fais et ce n'est pas maladif! Je sens que je suis très riche de mon travail politique mais en même temps, très égoïstement très pauvre par rapport à ma capacité de m'harmoniser dans mon environnement. Nous sommes ainsi, les femmes, nous aimons apprivoiser notre milieu, nous aimons nous sentir en paix avec ce que nous vivons. En ce moment, je n'ai pas le temps. Je suis préoccupée seize heures par jour. . .

— *Vous avez donné la priorité à la politique.*

— On ne peut pas faire de la politique à moitié. Il faut assumer. Et je n'ai pas de mérite, car cela est aussi dans ma nature. Nous vivons à une époque apparemment moins stimulante qu'il y a dix ans sur le plan politique. Mais, à quelque niveau que ce soit, il faut se prendre en mains. Sinon, quelqu'un d'autre va le faire et les résultats ne seront pas nécessairement ce qu'on souhaite comme solutions ou comme objectifs. Il faut se tenir disponible face aux événements de la vie. Quand on a l'occasion d'apporter à sa société ses idées, ses valeurs, il ne faut jamais manquer de le faire. Même s'il y a un prix à payer. Les résultats sont toujours suffisamment épanouissants, emballants pour que cela vaille la peine de contribuer à l'avancement d'une société, surtout comme celle du Québec qui est petite et grande en même temps. On peut presque mesure les impacts des gestes qu'on pose, des projets qu'on finit par réaliser. . .

Pauline Marois

députée de La Peltrie

"Notre ressemblance, entre femmes, tient en notre volonté de changer quelque chose. Peu importe où on est, qui on est. Il y a toujours, derrière les gestes qu'on pose, une volonté de changer la situation de vie des femmes."

Pauline Marois est née à Québec le 29 mars 1949. Bachelière en service social à l'Université Laval, elle obtient un M.B.A. de l'École des hautes études commerciales de l'Université de Montréal en 1976.

Pauline Marois a été directrice générale du C.L.S.C. de l'Île-de-Hull, puis, au Centre de services sociaux du Montréal métropolitain (C.S.S.M.M.) elle travaille à la mise sur pied des services d'urgences sociales ainsi qu'à l'étude de l'avant-projet de la loi sur la protection de la jeunesse. Attachée de presse du ministre des Finances, puis chef de cabinet de la ministre d'État à la Condition féminine, elle est en outre coordonnatrice des ministères d'État à la Condition féminine et au Développement social, en 1980.

Élue députée du Parti québécois dans le comté de La Peltrie en avril 1981, elle est immédiatement nommée ministre d'État à la Condition féminine et par la suite, vice-présidente du Conseil du Trésor.

Pauline Marois: comment ne pas dire la "mère", la "maternelle", alors qu'elle faisait le traditionnel porte à porte d'une campagne électorale à la veille d'accoucher! Tout le monde s'en rappelle. . . Je l'ai rencontrée cet été enceinte encore, et heureuse de l'être. L'encre et le papier ne traduisent pas le rire, la chaleur omniprésents dans sa voix. Il reste les mots, ceux d'une femme lucide qui accepte ses contradictions, plus, qui s'en sert pour avancer; les mots d'une femme d'expérience n'ignorant rien des problèmes de garderie du Québec mais connaissant aussi cela chez elle; les mots d'une femme sereine, spontanée, pleine d'espoir dans notre avenir au féminin.

"Comment avez-vous commencé à vous engager en politique?

— Dès que j'ai commencé à m'impliquer socialement, c'est-à-dire très jeune, dans la J.E.C., dans des associations d'étudiants. . . J'avais une conscience, pas très claire évidemment, qu'il y avait des lieux plus propices au développement des idées vers une nouvelle orientation de la société.

Mais c'est surtout quand je suis entrée sur le marché du travail. Étant travailleuse sociale, j'étais dans des milieux défavorisés où la vie était très dure. Et je me disais: ce n'est pas possible, il faut changer cette réalité-là, mais comment fait-on pour la changer? Là, ma réflexion s'est précisée rapidement: le moyen ayant le plus d'impact semblait être la politique.

Mais je me suis heurtée, en politique, aux contraintes, aux manques de consensus, aux intérêts divergeants. Tout cela était bien contradictoire. Et je ne me sentais pas capable de vivre ces contradictions-là parce que j'étais trop entière et que cela ne servirait à rien. Alors, il était peut-être préférable de travailler dans des groupes plus petits, à une échelle un peu plus réduite mais avec la possibilité d'avoir plus d'impact.

Je suis entrée au cabinet de madame Payette. C'est vraiment grâce au dossier des femmes que j'ai fini par décider quand même d'y aller, en politique: en effet, nous cherchions des femmes pour s'impliquer et ce n'était pas facile car elles avaient peur. Je les comprenais. Nous voulions des candidates. . . Un jour quelqu'un m'a dit: "Pourquoi n'irais-tu pas, puisque tu veux tellement que des femmes se présentent?" Cette possibilité était tellement loin dans mon esprit qu'il a fallu qu'on me convainque.

Pauline Marois

— *Vous avez dû refaire tout le chemin. . .*

— Oui, c'est cela. J'ai dû le faire en peu de temps, car nous étions tout près des élections. Je me disais: peut-être. . . peut-être que la bataille en vaut la peine; que, sans prétention, je pourrais agir différemment et mieux! Il faut y croire parce que, sans cela, on irait en politique uniquement pour l'attrait du pouvoir.

— *Ce serait cynique?*

— En effet. C'est pour cela que j'ai dit: oui, j'y vais. Je savais qu'encore une fois peu de femmes se présenteraient, qu'on ne serait qu'une ou deux, qu'il y avait tant de travail à faire. . . Je n'ai pas eu le temps de penser à une stratégie, sauf à du très court terme. Je me demandais plutôt: qu'est-ce que je dis, à la "convention"?

— *Vous n'aviez donc pas perdu votre idée*

de l'importance de la politique?

— Non, mais j'avais abandonné l'idée de faire de la politique active, désir que j'avais eu au début de ma carrière. Comme je vous ai dit, les contraintes me paraissaient trop grandes.

— *Mais vous occupiez une fonction politique au cabinet de madame Payette. En fin de compte, vous ne vouliez pas porter, individuellement, le poids de ces contradictions?*

— Absolument. Il y a aussi que je crois à un certain nombre de valeurs, à des choix dans ma vie, à des priorités: l'indépendance d'une nation, l'indépendance du Québec, l'équité sociale, la défense des femmes.

— *Est-ce qu'il s'agit de la même lutte?*

Pauline Marois

— La défense de l'équité sociale et la défense des droits de la femme se ressemblent. Les femmes sont une majorité considérée comme une minorité marginalisée. . . Quant à l'indépendance, c'est d'un autre ordre: une philosophie, une idéologie, un choix essentiel. Il y a en politique des dossiers administratifs, techniques, il y en a d'autres qui sont porteurs d'idéologies, de convictions, de valeurs. Mes priorités font quand même partie de ces derniers.

— *Comment s'est passée votre campagne électorale? Vous ne connaissiez pas votre comté et vous étiez enceinte. . .*

— Oui, j'étais plus enceinte que maintenant, d'ailleurs! Vous savez, j'ai très hâte. On attend ce bébé pour le début d'octobre. Et j'ai un peu peur: chez moi, l'impatience provoque toujours la peur.

— *Il s'agit de plonger, non?*

— C'est cela. Une fois qu'on est dedans, on se dit qu'on va s'en sortir avec les ressources qu'on a. . .

— *Est-ce que votre grossesse évidente a servi de lien avec les gens?*

— Les gens de mon Parti étaient très tiraillés: certains me l'ont dit après, ils craignaient qu'une femme enceinte, ce soit moins élégant. . . d'autres pensaient le contraire: une femme enceinte, cela fait très bien, très rond, très beau. Cela inspire confiance. . .

Par ailleurs, je m'étais promis, à l'époque où je pensais aller un jour en politique, que je m'impliquerais dans le milieu où je serais. Je ne voulais pas être "parachutée". Puis j'ai décidé de ne pas m'engager. . . puis je suis revenue sur ma décision. . . Et là, tout s'est présenté de manière différente de mon plan initial! Il faut dire que le comté de La Peltrie existait pour la première fois à cause d'une révision de la carte électorale. Il s'agit d'un comté en banlieue de Québec qui touche en partie la ville et Ste-Foy. Louis O'Neil représentait ce territoire. . . On ne sait pas s'il sera à nouveau candidat, certaines personnes ont l'impression que oui. Il commence à y avoir un peu de "grenouillage". Des gens de notre Parti parlent d'une "convention". Tant que monsieur O'Neil ne dit rien, personne ne veut se présenter contre lui dans le Parti. C'est évidemment une question de "fair-play". Puis, O'Neil se retire. Je me mets sur la piste. Je suis un peu découragée: madame Payette s'en va, je le sais depuis longtemps, et il n'y a pas beaucoup de femmes qui se présentent. C'est désastreux. Mais on me propose le comté de La Peltrie qui, pour le Parti, est un bon comté puisqu'il a donné une légère majorité au référendum de 81. Je me dis: pour une fois qu'on donne un bon comté à une femme! Car on nous donne toujours les mauvais comtés: ceux de l'ouest de Montréal, ceux des milieux ethniques. . . Les candidates y mènent des batailles extraordinaires mais à la fin, elles perdent, c'est évident — cela est vrai, d'ailleurs, pour les autres partis. Avant de me décider à y aller, je cherche des femmes susceptibles de se présenter dans ce comté. Mon plan est fait: je prends un petit congé pour l'été, je m'occupe du bébé et de l'autre enfant, je reste tranquillement chez moi à respirer, je cherche du travail à l'automne. Parfait! En attendant, je rencontre des femmes; elles me disent que c'est un comté difficile parce qu'il y a beaucoup d'intellectuels, d'enseignants, de hauts fonctionnaires. Les brassages d'idées sont intéressants mais, on ne se présentera pas là. Des équipes s'organisent maintenant qu'on sait que Monsieur O'Neil ne se représente pas. Et quand on me dit: "Pourquoi pas toi?" je réagis très fort: ça n'a pas de bon sens,

je suis enceinte de sept mois et demi, je vais accoucher pendant l'élection. . . De toutes façons, cela va à l'encontre de mon principe de m'impliquer avec la population. . .
Mais je réfléchis. Et je "détricote" ce que j'avais tricoté! Peut-être qu'il faut que j'y aille après tout. J'y crois, à cette cause. Et si cela continue, il n'y aura pas de femmes. Je rencontre un groupe de militants, je leur dis que je suis intéressée à me présenter à la "convention" mais que j'ai besoin de leur appui. La discussion va bon train. On embarque ensemble. Tout cela s'est fait en l'espace de quelques jours. Puis, une autre femme arrive sur les rangs. Trop tard, je suis engagée, j'ai le goût de retricoter mon chandail à l'envers! Je continue Mais j'ai très peur. Pas nécessairement de ne pas être élue. . . Ma crainte était que le troisième candidat passe puisque c'était un homme et que les votes pour les femmes pouvaient se diviser. . . Et je gagne. Évidemment, le lendemain, il y avait des

pots à ramasser. . . c'est toujours comme ça. Mais je crois avoir rallié la majorité des militants qui supportaient les deux autres candidats. Il restait encore quelques personnes déçues, je respecte cela.

— Il fallait faire la campagne électorale maintenant?

— Exactement. On a fait le point, on a mis tout le monde au travail. Le plus dur a été la "convention". La campagne électorale, c'était beaucoup de boulot mais moins éprouvant que la convention. L'opposant libéral a été très correct. Il n'y a eu aucune bavure. Je l'ai trouvé très sympathique. Il est même venu me féliciter le soir de l'élection. C'était drôle parce qu'on se rencontrait dans les mêmes endroits: dans une fête, tout le monde y est ensemble, n'est-ce pas? Alors on se retrouvait à la porte: les libéraux à l'intérieur, les péquistes dehors, dépendant qui était arrivé le premier! Je ne me sentais pas mal à l'aise dans le milieu, j'y ai retrouvé des consoeurs de classe, j'étais de Québec. . .

— *Est-ce qu'on a distingué les partis ou est-ce qu'on a exprimé son vote entre un homme et une femme?*

— Le vote a vraiment été sur le parti.

— *Est-ce que, maintenant, le fait d'être une femme candidate pourrait jouer en sa faveur?*

— Je pense que oui, car le discours féministe s'est modifié avec le temps. On niait la différence avec les hommes, on revendiquait la reconnaissance de notre capacité de faire les mêmes choses qu'eux. C'est normal, une telle réaction. Maintenant, notre discours a changé et je suis profondément en accord avec cette évolution: au-delà de la différence physique, il y a des différences plus profondes, de valeur, d'approche, de philosophie. On est plus entières que les hommes, plus consciencieuses en général, plus exigeantes aussi vis-à-vis de nous-mêmes. . . On pourrait en parler longuement. Ce qui fait que, comme députées, on est plus engagées. Il y en a qui disent que c'est manquer du sens des priorités. . . Peut-être. Mais moi, cela ne me fait rien: il est aussi important de traiter du cas d'un individu que des grandes choses de l'État. La politique c'est être capable de tenir compte du quotidien de certaines personnes qui ont besoin d'aide tout en réfléchissant, en prenant des décisions qui concernent la société en général. Et je pense que, à cet égard-là, les femmes sont très très consciencieuses.

— Donc le pouvoir exercé par des femmes peut être différent?

— Oui, avec parfois de plus grandes exigences: on est moins prêtes à faire des compromis, à cause de notre entièreté. Et en même temps, on est plus conscientes que les hommes que, lorsqu'on prend des décisions, il y a des gens qui ne sont pas contents. Tout n'est pas parfait, on est très critiques sur ce point-là. . .

— *. . . parce que les femmes sont habituées à se faire critiquer?*

— On se fait tellement critiquer qu'on s'auto-critique soi-même et on exige beaucoup de soi-même aussi.

— *Avec quel esprit une femme exerce-t-elle le pouvoir?*

— Nous ne sommes pas attachées au pouvoir. Peut-être que je me trompe. . . Vous êtes en désaccord avec ça?

— . . . *non!*

— Les femmes n'ont pas de grandes "carrières", elles donnent la vie, elles portent les enfants. . . Cela les oblige à faire des arrêts, plus ou moins longs, voulus ou non. Si bien qu'elles ne font pas de plan: je commence là, à tel niveau, un jour je serai directrice de, présidente de, etc. ou bien: un jour je ferai de la politique. Madame Payette disait: "Les femmes ont une vie en zig-zag." Il y a une explication très logique: La réalité de notre vie fait qu'on planifie autrement: "Aujourd'hui, je fais cela. Demain s'il se passe un événement ou si je décide d'avoir des enfants, peut-être que ma vie changera. Donc, je verrai à ce moment-là ce que je ferai." Alors, le pouvoir politique n'est pas un objectif pour une femme. Quand on y arrive, c'est parce qu'on veut faire quelque chose pour la société et il nous est facile d'imaginer qu'au bout de quatre, trois ou deux ans, tout peut changer pour nous.

Pauline Marois

— Et si le pouvoir vous échappe du jour au lendemain, ça arrive en politique, est-ce que cela dérange moins une femme?

— Je pense que oui, toujours à cause de ce plan de carrière que nous n'avons pas. Je ne veux pas dire que pour nous c'est blanc et beau et que pour les hommes c'est noir et laid. . . les films de "cow-boy" n'existent que dans les films de "cow-boy". La réalité est toujours dans le gris! Les hommes ont sur leurs épaules le poids du rôle de pourvoyeur, de gagnant, de celui qui doit faire la compétition pour être le premier. Nous n'avons pas cette charge. Et ces hommes qui ont un esprit guerrier ont naturellement des stratégies de concurrence. Par contre les femmes qui donnent la vie ont le respect de la vie, la conscience de la qualité de la vie, pas au profit du pouvoir, ni de la guerre, ni de la compétition. Si on pousse ce raisonnement plus loin, on peut faire des parallèles avec les mouvements pacifistes dans lesquels se retrouvent beaucoup de femmes. . .

Par mon expérience, et je ne peux pas dire que j'ai connu beaucoup d'embûches, ce qui est le plus difficile est de devoir se tailler une place par. . . la stratégie! Et on se retrouve en pleine contradiction!

— Au Conseil des Ministres, par exemple, comment négociez-vous? Comment faut-il négocier?

— Je ne sais pas. Nous sommes obligées de faire des compromis, de refouler nos sentiments. Denise (Leblanc-Bantey) a fait souvent cette réflexion-là. Nous agissons ou réagissons émotivement. Eux le font agressivement et c'est considéré comme très bon. L'agressivité, c'est de l'émotion. Mais nous, nous avons une agressivité émotive, ce n'est pas bon, ça!

— Une femme au pouvoir est très vulnéra-

ble, n'est-ce pas?

— Tout le monde est vulnérable. Les hommes ont développé une meilleure carapace que nous. Il y a tout un raisonnement. . . Moi, quand je pense à un projet logique, je me dis que ça ne posera pas de problème. On y va un peu naïvement parfois! Mais je me rends compte que ça accroche partout, malgré cette logique, parce qu'il manque la stratégie. Je me suis fait prendre à ce raisonnement: mon projet était plein de bon sens, "ils" allaient être d'accord. . . sauf que leur logique n'est pas la nôtre. Eux, quand ils ont une idée, ils vont faire une stratégie pour la passer, même si elle est logique. Tandis que nous, nous laissons tomber la stratégie! C'est un problème de femmes, je pense, des femmes qui doivent adopter les règles du jeu.

— Cela peut être une question de nombre.

— À la limite, cela est essentiellement une question de nombre. Quand beaucoup de femmes seront à des postes de décision, les règles changeront. Même si certaines ne se disent pas féministes, même si elles ne pensent pas s'inscrire dans ce mouvement, un jour ou l'autre, elles sont touchées par des attitudes qui finissent par les agacer, par les agresser. C'est pour cela que je dis que, même si des femmes ne se définissent pas comme féministes, elles le deviennent, d'une manière ou d'une autre. On finira par changer ces règles du jeu, mais pas à une, à deux ou à trois. Il reste toujours des batailles à gagner, mais maintenant, il n'y a plus de lois qui soient très discriminantes. Il y a des attitudes, des habitudes. . . les lois sont conçues par des hommes, appliquées par des hommes. . .

— Vous disiez tout à l'heure que le discours féministe voulait jouer avec la diffé-

rence. Qu'entendez-vous par là?

— Non. Le nouveau discours féministe valorise davantage la différence. Mais il faut bien comprendre: pour les femmes la différence a toujours signifié domination. L'homme est agressif, la femme émotive. L'homme est fort, la femme est faible. L'homme est fait pour dominer, la femme est faite pour être dominée. La notion de différence ne contenait que des contraires négatifs. Il y avait bien quelques petits contraires positifs du genre: la femme est douce, l'homme est dur, la femme peut pleurer, l'homme se met en colère. . . Bon. Mais c'était toujours l'un au-dessus de l'autre, jamais l'un à côté de l'autre. Alors il y a eu ce mouvement de pendule bien normal: nous aussi on peut être dures, nous aussi on peut être agressives, fortes, actives, nous aussi on peut être "boss". . . cela, en niant le fait d'être femmes. Selon moi, le mouvement revient aujourd'hui vers autre chose: saisir la différence, la reconnaître dans ce qu'elle a de positif. . . dans le fait qu'elle ne nous place ni au-dessus ni en-dessous, ni à côté, elle nous place selon différents moments, avec des valeurs. . . différentes! Elles sont meilleures ou moins bonnes, je ne sais pas. Parfois c'est mieux, parfois c'est moins bon. C'est une philosophie qui fait qu'on ne parle plus de dominant-dominé, mais d'un état d'être en soi. Ainsi, parfois on fait mieux, parfois on fait moins bien et tout cela finit par s'équilibrer.

— Il faudra que les hommes acceptent non seulement que les femmes soient aux mêmes postes qu'eux, mais aussi qu'elles y agissent différemment. C'est une double bagarre?

— Je le sais. C'est comme cela. On va vivre avec ça, en autant que nous en soyons suffisamment conscientes collectivement. Je pense qu'il n'y a pas d'homogénéité chez les femmes. Cela me choque d'entendre les gars dire: "Vous pensez toutes pareil!" J'espère bien qu'on ne pense pas toutes de la même façon. Sont-ils tous pareils, eux? Notre ressemblance entre femmes tient en notre volonté de changer quelque chose. Peu importe où on est, qui on est comme femme. Il y a toujours, derrière les gestes qu'on pose, une volonté de changer la situation de vie des femmes. Et c'est cela qu'il faut viser, chacune à son niveau, chacune où l'on se trouve.

— *Vous avez une vie personnelle intense, parallèle à votre vie publique de ministre. Comment conjuguez-vous les deux? Vous attendez un troisième enfant, qu'est-ce que la vie familiale pour vous?*

— Mon mari et moi avons décidé que nous voulions plus d'un enfant, puis plus de deux. . . Maintenant, ce sera trois, peut-être ainsi jusqu'à cinq! Je ne sais pas. On verra. . . Notre vie de famille n'est pas nécessairement facile pour mon mari. Sauf qu'il y a bien longtemps — avant les enfants — que nous avions décidé de partager des tâches, des responsabilités. Tout est complètement partagé selon nos goûts, nos aptitudes. C'est évident que depuis que je suis en politique, mon mari en fait beaucoup plus que moi à la maison, auprès des enfants, dans l'organisation de la famille. Peut-être que c'est un peu "pas correct". . . Mais il vit ce que des femmes vivent avec leurs maris engagés en politique. La différence cependant est que je continue de me sentir responsable. . . Entre un repas avec des amis ou un moment de détente que je pourrais prendre après le boulot, versus aller dans ma famille, je vais dans ma famille. Je ne peux choisir autrement. Quand un homme ferme la porte le matin, il embarque dans le boulot. . . et retrouve sa famille à cinq heures ou six ou sept heures. Nous, on part le matin et on ne ferme jamais complètement la porte: il pleut, est-ce qu'il a un chandail? J'ai oublié de dire à la gardienne qu'il a déjà mangé. . .

— Les femmes pensent à mille choses à la fois. . .

— Dans le fond, les hommes doivent apprendre de nous comme nous avons appris d'eux. Mon mari commence à se rappeler des rendez-vous du petit chez le médecin. . .

— Alors, ce n'est pas incompatible: être mère de famille, ministre, avoir du pouvoir. . . On y est heureux?

— Je ne le ferais pas si je n'y étais pas heureuse. Tout cela n'est pas incompatible. Le jour où l'on pensera que les enfants n'appartiennent pas seulement aux femmes — parce qu'elles les font — mais qu'ils sont une responsabilité de deux personnes. . . Il y a aussi d'autres modèles: comme d'élever son enfant seule. . . Mais à partir du moment où on décide ensemble d'avoir des enfants, on décide ensemble d'en prendre soin. Ce n'est pas parce qu'on porte les enfants qu'on est plus habile avec eux que les hommes. Changer une couche est changer une couche! Mon "chum" peut le faire, cela s'apprend, pour nous comme pour eux.

Et la carrière en politique — je n'aime pas ce mot de carrière! — n'est pas plus difficile que n'importe quel autre travail, ni plus douloureuse. D'ailleurs, ce sera plus facile quand nous y serons plus nombreuses."